2026 국가직·지방직 공무원 시험 대비

실전동형 봉투모의고사

Vol. 1

한국사

▎제1회 ~ 제12회 ▎

박문각

2026 공무원 시험 대비 실전동형 모의고사

한국사

▌제1회▐

응시번호	
성 명	

문제책형
㉮

제1과목	국어	제2과목	영어	제3과목	한국사
제4과목		제5과목			

응시자 주의사항

1. **시험시작 전 시험문제를 열람하는 행위나 시험종료 후 답안을 작성하는 행위를 한 사람**은 「공무원임용시험령」 제51조에 의거 **부정행위자**로 처리됩니다.
2. **답안지 책형 표기는 시험시작 전** 감독관의 지시에 따라 **문제책 앞면에 인쇄된 문제책형을 확인** 한 후, **답안지 책형란에 해당 책형(1개)**을 '●'로 **표기**하여야 합니다.
3. **답안은 문제책 표지의 과목 순서에 따라 답안지에 인쇄된 순서(제1·2·3·4·5과목)에 맞추어 표기**해야 하며, 과목 순서를 바꾸어 표기한 경우에도 **문제책 표지의 과목 순서대로 채점**되므로 유의하시기 바랍니다.
4. 시험이 시작되면 문제를 주의 깊게 읽은 후, **문항의 취지에 가장 적합한 하나의 정답만을 고르며**, 문제내용에 관한 질문은 할 수 없습니다.
5. 답안지의 모든 기재 및 표기 사항은 **컴퓨터용 흑색 싸인펜을 사용**하며, 반드시 <보기>의 **올바른 표기 방식**으로 답안을 작성해야 합니다.

   <보기> 올바른 표기: ● 잘못된 표기: ⊘ ⊗ ◑ ⊙ ◍ ⊖ ③

6. **답안을 잘못 표기하였을 경우**에는 **답안지를 교체하여 작성**하거나 **수정할 수 있으며**, 표기한 답안을 수정할 때는 **응시자 본인이 가져온 수정테이프만을 사용**하여 해당 부분을 완전히 지우고 부착된 수정테이프가 떨어지지 않도록 손으로 눌러주어야 합니다. **(수정액 또는 수정스티커 등은 사용 불가)**
   - **불량한 수정테이프의 사용과 불완전한 수정처리**로 발생하는 **모든 문제는 응시자 본인에게 책임이 있습니다.**
7. 법령, 고시, 판례 등에 관한 문제는 **2026년 2월 28일 현재 유효한 법령, 고시, 판례 등을 기준**으로 정답을 구해야 합니다. 다만, 개별 과목 또는 문항에서 별도의 기준을 적용하도록 명시한 경우에는 그 기준을 적용하여 정답을 구해야 합니다.
8. **시험시간 관리의 책임은 응시자 본인에게 있습니다.**

   ※ 문제책은 시험종료 후 가지고 갈 수 있습니다.

정답공개 및 가산점 등록 안내

1. 정답공개: 정답가안 4.4.(토) 13:30 / 최종정답 4.13.(월) 18:00 / 사이버국가고시센터
2. 이의제기: 4.4.(토) 18:00 ~ 4.7.(화) 18:00 / 사이버국가고시센터
   - 구체적인 이의제기 방법은 정답가안 공개 시 공지 예정
3. 가산점 등록기간: 4.4.(토) 13:30 ~ 4.6.(월) 21:00
4. 가산점 등록방법: 사이버국가고시센터 ➔ [원서접수 → 가산점 등록/확인]

박문각

한 국 사

1. 다음 자료에서 설명하고 있는 나라에 대한 내용으로 옳은 것은?

> 동성(同姓)끼리 결혼하지 않는다. 꺼리는 것이 많아서 병을 앓거나 사람이 죽으면 옛집을 버리고 곧 다시 새집을 지어 산다. 마포가 산출되며, 누에를 쳐서 옷감을 만든다.

① 민며느리제의 풍속이 있었다.
② 도둑질을 하면 12배로 갚도록 했다.
③ 특산물로는 단궁, 과하마 등이 있다.
④ 간음한 자와 투기가 심한 부인은 사형에 처하였다.

2. 밑줄 친 인물에 대한 설명으로 옳은 것은?

> 당 태종은 직접 군대를 이끌고 요동성과 백암성 등 여러 성을 정복하고 안시성에 이르렀다. 이에 그는 15만 명의 군사를 파견하였으나 대패하였다. 고립된 안시성의 주민은 성주의 지휘 속에서 80여 일간 당군에게 항전하였다.

① 당나라에 의해 요동 도독으로 임명되었다.
② 우중문에게 오언시(여수장우중문시)를 보냈다.
③ 정변을 일으켜 영류왕과 반대 세력을 제거하였다.
④ 백제 아신왕을 굴복시켜 한강 이북의 땅을 차지하였다.

3. 밑줄 친 '그'의 재위 기간에 있었던 사실로 옳은 것은?

> 그는 신라의 17대 왕으로, 재위 기간은 356년부터 402년까지였다. 13대 미추 이사금에 이어 김씨로는 두 번째로 왕위로 올랐으며 그의 집권 이후로는 김씨만 왕이 되었고, 왕의 호칭도 이사금에서 마립간으로 바뀌었다.

① 왕위 계승의 부자 상속제가 확립되었다.
② 신라 영토 안의 고구려군을 축출하였다.
③ 낙동강 동쪽의 진한 지역을 거의 차지하였다.
④ 관리의 복색을 정하고, 17관등제를 완성하였다.

4. 밑줄 친 '이 문서'에 대한 설명으로 옳지 않은 것은?

> 통일 신라의 이 문서는 당시 촌락의 경제 상황과 조세 행정을 알 수 있는 자료이다. 현재 남아있는 것은 서원경 부근의 4개 촌락을 조사한 일부분으로 일본 도다이사의 쇼소인(정창원)에서 발견되었다.

① 3년마다 촌주가 작성하였다.
② 호는 상상호에서 하하호까지 6등급으로 나누었다.
③ 문서의 모든 자료가 촌락을 기준으로 작성되어 있다.
④ 각 촌락의 둘레, 호구의 수, 말과 소의 수를 기록하였다.

5. 다음 빈칸에 들어갈 국왕에 대한 설명으로 옳은 것은?

> 문벌 귀족인 경원 이씨는 왕실과의 중첩된 혼인을 통해 권세를 쌓았다. 이자연은 세 딸을 문종의 왕비로 들였고, 이자연의 손자인 이자겸도 둘째 딸을 예종의 비로 들였다. 또 외손자인 ○○에게도 두 딸을 왕비로 들여 외척 관계를 맺었다.

① 개경에 나성을 쌓아 방어를 강화하였다.
② 국자감에 전문 강좌인 7재를 설치하였다.
③ 지방에 경학박사와 의학박사를 파견하였다.
④ 김부식으로 하여금 『삼국사기』를 편찬하게 하였다.

6. 다음 자료의 인물에 대한 설명으로 옳은 것은?

> 그는 상주 가은현 사람이다. 아버지 아자개는 농사를 지으며 살다가 후에 가문을 일으켜 장군이 되었다. … 군대를 따라 서울에 들어왔다가 서남 해안을 지키러 갔을 때 창을 베고 자면서 적을 기다렸고, 그의 용기는 항상 병졸보다 앞섰으므로 그 공로로 비장이 되었다.

① 발해의 유민들을 대대적으로 포용하였다.
② 오월, 거란, 일본 등에 외교 사절을 보냈다.
③ 송악의 호족 출신으로, 궁예의 부하가 되었다.
④ 무태, 수덕만세 등 독자적인 연호를 사용하였다.

7. 밑줄 친 '국사'에 대한 설명으로 옳은 것은?

> 곧 서울로 달려가 다시 흥왕사에 거처하면서 교리를 처음과 같이 강의하였다. 정축년 여름 5월 국사는 국청사에 주지로 있으면서 처음으로 천태교를 강의하였다. 이 천태종은 옛날에 이미 우리나라에 전해졌으나 중간에 폐지되었다.

① 유불일치설을 주장하였다.
② 이론과 실천의 양면을 강조하였다.
③ 수선사에서 결사 운동을 주도하였다.
④ 『대승기신론소』, 『금강삼매경론』을 저술하였다.

8. 다음 지역에서 전개된 역사적 사실로 옳은 것은?

> • 고대 : 고구려의 수도
> • 고려 : 묘청의 난, 조위총의 난
> • 근현대 : 제너럴 셔먼호 사건

① 미륵사지 석탑이 세워졌다.
② 국채 보상 운동이 시작되었다.
③ 안창호가 대성 학교를 세웠다.
④ 백제 성왕이 이곳으로 수도를 옮겼다.

9. 다음 자료는 이 관직의 주요 임무를 규정한 것이다. 이 관직에 대한 설명으로 옳은 것은?

> 임금이 말하기를, "이른바 칠사(七事)라는 것은 무엇인가?" 하니, 변징원이 대답하기를, "농상(農桑)을 성(盛)하게 하고, 학교를 일으키며, 사송(詞訟)을 간략하게 하고, 간활(奸猾)을 없애며, 군정을 닦고, 호구를 늘게 하며, 부역을 고르게 하는 것이 바로 칠사입니다." 하였다.

① 감사 또는 방백이라고 불렀다.
② 자신의 출신 지역에는 부임할 수 없게 하였다.
③ 지방 관아에 소속되어 행정 실무를 처리하였다.
④ 각 도에 파견되어 행정 · 감찰 · 사법을 장악하였다.

10. 다음 역사적 사실들을 순서대로 바르게 나열한 것은?

> ㉠ 문정왕후와 외척들이 정국을 주도하였다.
> ㉡ 불교 행사와 승과를 폐지하고, 경연을 강화하였다.
> ㉢ 김종직의 조의제문을 구실로 사림들이 축출되었다.
> ㉣ 폐비 윤씨 사사 사건에 관련된 인사들이 제거되었다.

① ㉢-㉣-㉠-㉡　　② ㉢-㉣-㉡-㉠
③ ㉣-㉡-㉢-㉠　　④ ㉣-㉢-㉡-㉠

11. 다음 정치 기구에 대한 설명으로 옳지 않은 것은?

> 명칭은 '변방의 방비를 담당하는 것'이라고 하면서 과거 시험에 대한 판하(判下)나 비빈을 간택하는 등의 일까지도 모두 여기를 경유하여 나옵니다.

① 을묘왜변을 계기로 청사를 따로 두었다.
② 의정부와 6조의 행정 체계가 유명무실해졌다.
③ 전 · 현직 정승, 대제학 등 고위 관리들이 참여하였다.
④ 임진왜란 때 척계광의 『기효신서』를 참고하여 편성되었다.

12. 다음 자료와 관련된 인물에 대한 설명으로 옳은 것은?

> 무릇 1여(閭)의 토지는 여민이 함께 농사하고 경계를 나누지 않는다. 여장은 매일 개개인의 노동량을 장부에 기록하여 두었다가 가을이 되면 수확물을 여장의 집에 가져온 다음에 분배한다. … 노동 일수에 따라 여민(閭民)에게 분배하도록 한다.

① 『의산문답』을 저술하였다.
② 사농공상의 직업적 평등을 주장하였다.
③ 많은 제자를 양성하여 성호학파를 형성하였다.
④ 박제가와 함께 종두법을 연구하고 실험하였다.

13. 다음 칙령에 따라 성립된 내각에서 추진된 개혁의 내용으로 옳지 않은 것은?

> 제3호 내가 동지날에 백관들을 거느리고 태묘에 나아가 우리나라가 독립하고 모든 제도를 이정한 사유를 고하고, 다음날에는 태사에 나아가겠다.
> 제4호 박영효를 내부대신으로, 서광범을 법부대신으로 … 삼도록 하라고 명하였다.
> 이상은 총리대신 김홍집, 외부대신 김윤식, 탁지부대신 어윤중, 학부대신 박정양이 칙령을 받았다.

① 원수부를 설치하였다.
② 지방 재판소를 설치하였다.
③ 의정부를 내각으로 고쳤다.
④ 8도를 23부로 개편하였다.

14. 다음 특징을 가진 의병 활동에 대한 설명으로 옳은 것은?

> 해산된 군인의 참여로 의병의 전력이 보다 강화되었다. 이때의 의병은 비록 복장이나 무기 등이 통일되지는 않았으나 유생, 군인, 농민, 상인, 포수 등 각계각층이 참여하여 적극적인 항일 투쟁을 전개하였다.

① 평민 출신의 의병장이 처음 등장하였다.
② 최익현은 제자인 임병찬과 함께 봉기하였다.
③ 위정척사 사상을 가진 양반 유생들이 주도하였다.
④ 13도 창의군을 편성하고 서울 진공 작전을 단행하였다.

15. 다음 역사적 사실들을 순서대로 바르게 나열한 것은?

> ㉠ 알렌의 건의로 병원인 광혜원을 세웠다.
> ㉡ 근대적 무기 공장인 기기창을 설립하였다.
> ㉢ 우정총국을 세워 근대적 우편 제도를 실시하려 하였다.
> ㉣ 서대문과 청량리 구간에서 전차가 최초로 운행되었다.

① ㉡-㉠-㉢-㉣ ② ㉡-㉢-㉠-㉣
③ ㉡-㉢-㉣-㉠ ④ ㉢-㉡-㉠-㉣

16. 다음 자료와 관련된 민족 운동과 관련된 내용으로 가장 적절치 않은 것은?

> 조선의 동모(同母)들아 이천만민아
> 두 발 벗고 두 팔 것고 나아오너라.
> 우리 것 우리 힘 우리 재조(才操)로
> 우리가 만드러서 우리가 쓰자.
> 우리가 만드러서 우리가 쓰자.

① 평양에서 조만식 등이 시작하였다.
② '조선 사람 조선 것' 등의 구호를 내세웠다.
③ 일본 상품 불매 · 토산품 애용을 주장하였다.
④ 양기탁에게 횡령의 누명을 씌워 구속하였다.

17. (가), (나) 사이에 있었던 역사적 사실로 옳지 못한 것은?

> (가) 청산리 일대에서 일본군과 독립군 간에 전투가 벌어졌다. 6일간 백운평 전투, 고동하 전투 등 10여 회의 전투에서 1,200~1,500여 명의 일본군을 사살하였다.
> (나) 만주의 군벌과 총독부의 경무국장 사이에 미쓰야 협정이 체결되었다.

① 밀산부에서 대한 독립군단이 조직되었다.
② 임시 정부의 직할 부대로 참의부가 조직되었다.
③ 악질 지주를 상대로 암태도 소작 쟁의가 일어났다.
④ 소련은 연해주의 한인들을 중앙아시아로 강제 이주시켰다.

18. 다음 민주화 운동에 대한 설명으로 옳은 것은?

> 이번 4월의 참사는 학생 운동 사상 최대 비극이요, 이 나라의 정치적 위기를 극복하기 위한 중대 사태이다. 이에 대한 철저한 반성 없이는 이 민족의 불행한 운명을 도저히 만회할 길이 없다. 우리 전국 대학교 교수들은 이 비상시국에 대처하여 양심의 호소를 하는 바이다.

① 계엄령 철회와 김대중 석방 등을 요구하였다.
② 장면 내각의 무능과 사회 혼란이 원인이 되었다.
③ 대통령 직선제를 골자로 하는 개헌이 이루어졌다.
④ 이승만이 하야 성명을 발표하고, 대통령직에서 물러났다.

19. 다음 강령을 내세운 단체에 대한 설명으로 옳지 않은 것은

> 1. 부호의 의연금 및 일본인이 불법 징수하는 세금을 압수하여 무장을 준비한다.
> 6. 일본인 고관 및 한국인 반역자를 수시 수처에서 처단하는 행형부를 둔다.
> 7. 무력이 완비되는 대로 일본인 섬멸전을 단행하여 최후 목적의 달성을 기한다.

① 공화주의를 목표로 활동하였다.
② 박상진을 총사령관으로 하였다.
③ '조선 혁명 선언'을 활동 지침으로 삼았다.
④ 군자금 모집, 친일 부호 처단 등의 활동을 하였다.

20. 다음 법령이 존속하던 기간에 볼 수 있었던 모습으로 옳은 것은?

> 회사가 본령이나 본령에 의거하여 발하는 명령과 허가 조건에 위반하거나 또는 공공 질서와 선량한 풍속에 반하는 행위를 할 때, 조선 총독은 회사의 해산을 명할 수 있다.

① 영화 '아리랑'을 관람하는 학생들
② 조선 형평사 행사에 참석한 백정들
③ 경부선 철도 개통식을 취재하는 기자
④ 조선 식산 은행 창립식에 참석한 관리

2026 공무원 시험 대비 실전동형 모의고사
한국사
▌제2회 ▌

응시번호	
성 명	

문제책형
㉮

제1과목	국어	제2과목	영어	제3과목	한국사
제4과목		제5과목			

응시자 주의사항

1. **시험시작 전 시험문제를 열람하는 행위나 시험종료 후 답안을 작성하는 행위를 한 사람**은 「공무원임용시험령」 제51조에 의거 **부정행위자**로 처리됩니다.
2. **답안지 책형 표기는 시험시작 전** 감독관의 지시에 따라 **문제책 앞면에 인쇄된 문제책형을 확인**한 후, **답안지 책형란에 해당 책형(1개)**을 '●'로 **표기**하여야 합니다.
3. **답안은 문제책 표지의 과목 순서에 따라 답안지에 인쇄된 순서(제1·2·3·4·5과목)에 맞추어 표기**해야 하며, 과목 순서를 바꾸어 표기한 경우에도 **문제책 표지의 과목 순서대로 채점**되므로 유의하시기 바랍니다.
4. 시험이 시작되면 문제를 주의 깊게 읽은 후, **문항의 취지에 가장 적합한 하나의 정답만을 고르며**, 문제내용에 관한 질문은 할 수 없습니다.
5. 답안지의 모든 기재 및 표기 사항은 **컴퓨터용 흑색 싸인펜을 사용**하며, 반드시 <보기>의 **올바른 표기 방식**으로 답안을 작성해야 합니다.

   <보기> 올바른 표기: ● 잘못된 표기: ⓥ ⊗ ◑ ⊙ ◍ ⊙ ③

6. **답안을 잘못 표기하였을 경우**에는 **답안지를 교체하여 작성**하거나 **수정할 수 있으며**, 표기한 답안을 수정할 때는 **응시자 본인이 가져온 수정테이프만을 사용**하여 해당 부분을 완전히 지우고 부착된 수정테이프가 떨어지지 않도록 손으로 눌러주어야 합니다. **(수정액 또는 수정스티커 등은 사용 불가)**
   - **불량한 수정테이프의 사용과 불완전한 수정처리**로 발생하는 **모든 문제는 응시자 본인에게 책임이 있습니다.**
7. 법령, 고시, 판례 등에 관한 문제는 **2026년 2월 28일 현재 유효한 법령, 고시, 판례 등을 기준**으로 정답을 구해야 합니다. 다만, 개별 과목 또는 문항에서 별도의 기준을 적용하도록 명시한 경우에는 그 기준을 적용하여 정답을 구해야 합니다.
8. **시험시간 관리의 책임은 응시자 본인에게 있습니다.**

   ※ 문제책은 시험종료 후 가지고 갈 수 있습니다.

정답공개 및 가산점 등록 안내

1. 정답공개: 정답가안 4.4.(토) 13:30 / 최종정답 4.13.(월) 18:00 / 사이버국가고시센터
2. 이의제기: 4.4.(토) 18:00 ~ 4.7.(화) 18:00 / 사이버국가고시센터
   - 구체적인 이의제기 방법은 정답가안 공개 시 공지 예정
3. 가산점 등록기간: 4.4.(토) 13:30 ~ 4.6.(월) 21:00
4. 가산점 등록방법: 사이버국가고시센터 ➜ [원서접수 → 가산점 등록/확인]

박문각

한 국 사

1. 밑줄 친 '그 나라'에 대한 설명으로 옳은 것은?

> 그 나라에는 왕이 있고, 벼슬로는 상가 · 대로 · 패자 · 고추가 · 주부 · 우태 · 승 · 사자 · 조의 · 선인이 있으며 신분의 높고 낮음에 따라 각각 등급을 두었다.

① 사출도라는 행정 구역이 있었다.
② 매년 10월에 무천이라는 제천 행사를 열었다.
③ 제가 회의를 통해 국가 중대사를 결정하였다.
④ 살인, 절도 등의 죄를 다스리는 범금 8조가 있었다.

2. 밑줄 친 '이 나라'에 대한 설명으로 옳은 것은?

> 우륵은 이 나라의 음악가로서 가야 음악 12곡을 지었는데, 이 나라가 멸망하기 직전인 신라 진흥왕 때 가야금을 가지고 신라에 투항하였다. 그는 국원소경(충주)에서 여러 제자를 길러 가야의 음악을 신라에 전하였다.

① 김수로가 건국하였다.
② 신라 법흥왕과 결혼 동맹을 맺었다.
③ 고구려의 공격을 받아 큰 타격을 입었다.
④ 낙랑과 왜를 연결하는 중계 무역이 발달하였다.

3. 빈칸에 들어갈 국왕의 업적으로 옳은 것은?

> 성덕왕에서 ◯◯왕에 이르는 시기는 통일 신라 문화의 전성기로서 당과의 관계도 원활하였으며, 사회가 안정되고 문화가 융성하였다. 동시에 신라인의 해외 활동도 활발하였으며, 불교 예술은 극치를 이루었다.

① 독서삼품과를 시행하였다.
② 의상을 지원하여 부석사를 창건하였다.
③ 향가 모음집인 『삼대목』을 편찬하였다.
④ 중앙 관부와 관직 이름을 중국식으로 바꾸었다.

4. 다음 자료와 관련된 무덤에 대한 설명으로 옳은 것은?

> 이 무덤 양식은 지상 또는 구덩이를 판 지하에 상자 모양의 덧널을 놓은 다음, 그 위에 냇돌을 둥글게 쌓고 다시 흙을 입혀 봉분을 만들었다. 무덤의 크기나 출토 유물의 성격으로 보아 고대 왕권과 밀접한 관계가 있으며, 4세기 전반에서 6세기 전반에 걸쳐 만들어진 것으로 보인다.

① 중국 남조의 영향을 받았다.
② 사신도 등의 벽화가 발견되었다.
③ 대표적인 무덤으로 장군총 등이 있다.
④ 무덤 안에서 많은 부장품이 출토되었다.

5. 고려의 정치 제도에 대한 설명으로 옳은 것을 모두 고르면?

> ㉠ 어사대는 서경, 간쟁을 담당하였다.
> ㉡ 중추원은 재신과 낭사로 구성되었다.
> ㉢ 한림원은 화폐, 곡식의 출납과 회계를 맡았다.
> ㉣ 식목도감은 국왕의 명령과 정책을 법으로 정리하였다.

① ㉠, ㉡　　② ㉠, ㉣
③ ㉡, ㉣　　④ ㉢, ㉣

6. 다음에서 설명하고 있는 왕이 실시한 정책으로 옳지 않은 것은?

> 충숙왕의 둘째 아들로서 원나라 노국 대장 공주를 아내로 맞이하고 원에서 살다가 원의 후원으로 왕위에 올랐으나 고려인의 정체성을 결코 잃지 않았다.

① 반원 자주 정책을 펼쳤다.
② 정동행성의 이문소를 폐지하였다.
③ 무력으로 쌍성총관부의 지역을 다시 회복하였다.
④ 정치도감을 설치하여 권문세족의 농장을 혁파하였다.

7. 밑줄 친 '그'에 대한 내용으로 옳은 것은?

> 그는 '묘종초'를 설법하기 좋아하여 언변과 지혜가 막힘이 없었고, 대중에게 참회를 닦기를 권하였다. … 대중의 청을 받아 교화시키고 인연을 맺은 지 30년이며, 결사에 들어온 자들이 3백여 명이 되었다.

① 해동 천태종을 창시하였다.
② 정혜쌍수의 수행법을 제시하였다.
③ 강진 만덕사에서 백련결사를 주도하였다.
④ 광종의 지원을 받아 귀법사의 주지가 되었다.

8. (가)와 (나) 사이에 들어갈 역사적 사실로 옳지 않은 것은?

> (가) 삼도순변사 신립이 이끄는 관군이 탄금대에서 적군에게 패해 충주 방어에 실패하였다. 신립은 전장에서 순절하였다.
> (나) 삼도수군통제사로 복귀한 이순신은 12척의 배를 이끌고 300여 척의 적선을 울돌목에서 대파하였다.

① 조 · 명 연합군이 평양성을 탈환하였다.
② 김시민이 왜의 대군에 맞서 진주성을 지켜냈다.
③ 행주산성에서 권율이 왜군과의 격전을 벌여 승리하였다.
④ 이순신이 노량 앞바다에서 철수하는 왜군을 공격하였다.

9. 밑줄 친 '세자'의 재위 기간에 있었던 사실로 옳은 것은?

> 임금이 명하기를, "국운이 평안하고 태평함을 회복하여 중전이 복위하였으니, 백성에게 두 임금이 없는 것은 고금을 통하는 도리이다. 장씨에게 내렸던 왕후의 지위를 거두고, 옛 작호인 희빈을 내려 주도록 하라. 다만 세자가 조석으로 문안하는 것은 폐하지 말라."라고 하였다.

① 언로를 확대하여 신문고를 부활하였다.
② 신임사화가 일어나 노론이 대거 숙청되었다.
③ 홍수에 대비하여 청계천 준설 사업을 추진하였다.
④ 온건하고 타협적인 인물들을 탕평파로 육성하였다.

10. 고대의 문화에 대한 설명으로 옳지 않은 것은?
① 고구려의 영광탑은 탑 아래에 무덤칸이 있다.
② 삼국 시대에는 미륵보살 반가상이 많이 제작되었다.
③ 백제 수도였던 부여에는 정림사지 5층 석탑이 있다.
④ 신라의 황룡사 9층 목탑은 자장의 건의로 세운 탑이다.

11. 다음 역사서에 대한 설명으로 옳은 것은?

> 삼국 이후의 여러 역사서를 모으고 중국의 역사서에서 가려내어 연도에 따라 사실을 기록하였습니다. 범례는 『자치통감』에 의거하였고 『자치통감강목』의 취지에 따라 번잡한 것은 줄이고 … 삼국이 서로 대치한 때는 삼국기라고 하였고 … 삼한 이전은 외기라고 하였습니다.

① 태종 때 권근이 편찬하였다.
② 단군을 민족의 시조로 인식하였다.
③ 현존하는 가장 오래된 역사서이다.
④ 사초를 바탕으로 실록청에서 편찬하였다.

12. 다음 사건에 대한 설명으로 옳은 것은?

> 안핵사 박규수에게 하교하기를, "얼마 전에 있었던 일은 전에 없던 변괴였다. … 신중을 기하여 혹시 한 사람이라도 억울하게 처벌받는 일이 없게 하라. … 조금이나마 내가 남쪽을 돌아보는 걱정을 풀 수 있게 하라."라고 하였다.

① 홍경래, 우군칙 등이 주도하였다.
② 고정청이 설치되는 계기가 되었다.
③ 진주에서 시작되어 전국으로 확대되었다.
④ 서북 지방에 대한 차별 대우가 원인이 되었다.

13. 다음 주장이 등장하게 된 배경으로 옳은 것은?

> 러시아와 미국과 일본은 모두 같은 오랑캐들이니 그 사이에 누가 더하고 덜하다는 차이를 두기 어렵습니다. … 저들이 일본이 과거에 했던 전례를 따르고, 새로 맺는 미국과의 조약을 끌어다 대어 땅을 요구하면서 와서 살고 물화를 교역하기를 청한다면 장차 어떻게 거절할 수 있겠습니까.

① 일본 군함 운요호가 초지진을 공격하였다.
② 수신사 김홍집이 『조선책략』을 가지고 들어왔다.
③ 흥선 대원군이 물러나고 고종이 직접 정치에 나섰다.
④ 미국이 제너럴셔먼호 사건을 구실로 통상을 요구하였다.

14. 다음 자료와 관련된 단체에 대한 설명으로 옳지 않은 것은?

> 1. 외국인에게 의지하지 말고 관민이 힘을 합하여 전제 황권을 견고하게 할 것
> 2. 외국과의 이권에 관한 계약과 조약은 각 대신과 중추원 의장이 합동 날인하여 시행할 것
> 4. 중대 범죄는 공개 재판하되, 피고가 죄를 자백한 후에 시행할 것

① 자주 독립의 상징인 독립문을 건립하였다.
② 러시아의 절영도 조차 요구를 철회시켰다.
③ 자유 민권 운동과 국민 참정권 운동을 전개하였다.
④ 국가 재정을 탁지아문에서 관할할 것을 결의하였다.

15. 다음 자료와 관련된 정책으로 옳은 것은?

> 한국에서 유통되는 백동화에 대한 처분안을 들어보면, 갑(甲) 구 백동화는 1개당 신화폐 2전 5리의 비율로 교환한다. … 병(丙) 형체와 품질이 화폐라고 인정하기 어려운 것은 정부가 매수하지 않는다.

① 화폐 정리 사업　② 토지 조사 사업
③ 각종 전매제 시행　④ 토지 가옥 증명 규칙

16. 빈칸에 들어갈 지역에서 전개된 역사적 사실로 옳은 것은?

> • 주제 : [ ] 지역에 서린 항일 독립운동의 흔적을 찾아서
> • 조사 내용
> 1. 이상설이 세운 민족 교육의 요람, 서전서숙
> 2. 김약연의 명동 학교 설립과 교육 활동
> 3. 윤동주와 송몽규의 민족 의식이 싹튼 용정촌

① 대한 국민 의회가 수립되었다.
② 유인석, 이상설 등이 13도 의군을 결성하였다.
③ 대조선 국민군단이 조직되어 군사 훈련을 하였다.
④ 김좌진을 사령관으로 한 북로 군정서가 조직되었다.

17. 다음 연표의 인물에 대한 설명으로 옳은 것은?

1906년	대한매일신보의 주필로 활동
1907년	국채 보상 운동에 참여
1908년	「독사신론」 저술
1913년	상하이에서 동제사에 참여

① 『조선상고사감』을 저술하였다.
② 유물 사관에 입각하여 역사를 연구하였다.
③ 역사는 아(我)와 비아(非我)의 투쟁이라고 하였다.
④ 「5천년간 조선의 얼」이라는 글을 신문에 연재하였다.

18. 밑줄 친 '만세 시위'에 대한 설명으로 옳은 것은?

> 대한 제국의 마지막 황제인 순종이 사망하자, 조선 공산당이 중심이 된 사회주의 계열과 천도교를 비롯한 민족주의 계열은 학생 단체와 힘을 합쳐 <u>만세 시위</u>를 계획하였다.

① 신간회에서 조사단을 파견하였다.
② 기미 독립 선언서를 작성하여 전국에 배포하였다.
③ 헌병 경찰과 일본군이 시위를 폭력적으로 진압하였다.
④ 국내에서 민족 유일당 운동이 전개되는 계기가 되었다.

19. 다음 자료와 관련된 단체에 대한 설명으로 옳지 않은 것은?

> 우리는 전 민족의 총의를 대표하는 새 정권이 수립되기까지 일시적 과도기에 조선의 치안을 자주적으로 유지하며, 나아가 완전한 독립 국가의 조직을 실현하기 위하여 노력한다.

① 좌 · 우 합작 7원칙을 발표하였다.
② 조선 건국 동맹을 모체로 조직되었다.
③ 친일 세력을 제외한 각계각층을 망라하였다.
④ 여운형과 안재홍 등 중도파들을 중심으로 결성되었다.

20. 다음 민주화 운동에 대한 설명으로 옳은 것은?

> 대학생들의 평화적 시위를 질서 유지, 진압이라는 명목 아래 저잔인한 공수 부대를 투입하여 시민과 학생을 무차별 살육하였고, … 일부 언론은 광주 시민의 의거를 불순배의 선동이니, 폭도의 소행이라며 몰아붙이고만 있습니다.

① 호헌 철폐, 독재 타도 등의 구호를 외쳤다.
② 서울의 대학 교수들이 시국 선언문을 발표하였다.
③ 학생과 시민의 힘으로 부패한 독재 정권을 무너뜨렸다.
④ 관련 기록물이 유네스코 세계 기록 유산으로 등재되었다.

2026 공무원 시험 대비 실전동형 모의고사
한국사
▌제3회 ▌

응시번호	
성 명	

문제책형
㉮

제1과목	국어	제2과목	영어	제3과목	한국사
제4과목		제5과목			

응시자 주의사항

1. **시험시작 전 시험문제를 열람하는 행위나 시험종료 후 답안을 작성하는 행위를 한 사람**은 「공무원임용시험령」 제51조에 의거 **부정행위자**로 처리됩니다.
2. **답안지 책형 표기는 시험시작 전** 감독관의 지시에 따라 **문제책 앞면에 인쇄된 문제책형을 확인** 한 후, **답안지 책형란에 해당 책형(1개)**을 '●'로 **표기**하여야 합니다.
3. **답안은 문제책 표지의 과목 순서에 따라 답안지에 인쇄된 순서(제1·2·3·4·5과목)에 맞추어 표기**해야 하며, 과목 순서를 바꾸어 표기한 경우에도 **문제책 표지의 과목 순서대로 채점**되므로 유의하시기 바랍니다.
4. 시험이 시작되면 문제를 주의 깊게 읽은 후, **문항의 취지에 가장 적합한 하나의 정답만을 고르며**, 문제내용에 관한 질문은 할 수 없습니다.
5. 답안지의 모든 기재 및 표기 사항은 **컴퓨터용 흑색 싸인펜을 사용**하며, 반드시 <보기>의 **올바른 표기 방식**으로 답안을 작성해야 합니다.
   <보기> 올바른 표기: ● 잘못된 표기: ⓥ ⊗ ◑ ⊙ ⦶ ◌ ③
6. **답안을 잘못 표기하였을 경우**에는 **답안지를 교체하여 작성**하거나 **수정할 수 있으며**, 표기한 답안을 수정할 때는 **응시자 본인이 가져온 수정테이프만을 사용**하여 해당 부분을 완전히 지우고 부착된 수정테이프가 떨어지지 않도록 손으로 눌러주어야 합니다. **(수정액 또는 수정스티커 등은 사용 불가)**
   ■ **불량한 수정테이프의 사용과 불완전한 수정처리**로 발생하는 **모든 문제는 응시자 본인에게 책임이 있습니다.**
7. 법령, 고시, 판례 등에 관한 문제는 **2026년 2월 28일 현재 유효한 법령, 고시, 판례 등을 기준**으로 정답을 구해야 합니다. 다만, 개별 과목 또는 문항에서 별도의 기준을 적용하도록 명시한 경우에는 그 기준을 적용하여 정답을 구해야 합니다.
8. **시험시간 관리의 책임은 응시자 본인에게 있습니다.**
   ※ 문제책은 시험종료 후 가지고 갈 수 있습니다.

정답공개 및 가산점 등록 안내

1. 정답공개: 정답가안 4.4.(토) 13:30 / 최종정답 4.13.(월) 18:00 / 사이버국가고시센터
2. 이의제기: 4.4.(토) 18:00 ~ 4.7.(화) 18:00 / 사이버국가고시센터
   ■ 구체적인 이의제기 방법은 정답가안 공개 시 공지 예정
3. 가산점 등록기간: 4.4.(토) 13:30 ~ 4.6.(월) 21:00
4. 가산점 등록방법: 사이버국가고시센터 ➜ [원서접수 → 가산점 등록/확인]

박문각

한 국 사

1. 다음 상황 직후에 전개된 역사적 사실로 옳은 것은?

> 선혜청 당상관 민겸호의 하인이 선혜청 창고에서 군량을 내줬다. 이때 하인이 쌀을 벼 껍질과 바꾸어 이익을 챙기자 많은 군인이 분노하여 하인을 때려눕혔다. 민겸호는 주동자를 잡아 포도청에 가두고는 곧 죽여 버리겠다고 하니 군인들은 분기하여 포도청과 경기 감영을 습격하였다.

① 일본과 한성 조약을 체결하였다.
② 이항로가 척화주전론을 주장하였다.
③ 김기수를 수신사로 일본에 파견하였다.
④ 고종이 흥선 대원군에게 정권을 넘겨주었다.

2. 다음 조약을 계기로 일어난 의병 활동에 대한 설명으로 옳은 것은?

> 대일본 제국 정부는 그 대표자로 하여금 대한 제국 황제의 밑에 1명의 통감을 두되, 통감은 오직 외교에 관한 사항을 관리하기 위해 한성에 주재하고 친히 대한 제국 황제 폐하를 알현하는 권리를 가진다.

① 홍범도 등이 활약하였다.
② 민종식이 충남에서 거병하였다.
③ 고종의 해산 명령으로 해산하였다.
④ '국모의 원수를 갚자.'는 구호를 내걸었다.

3. 다음 시기의 일제 정책으로 옳은 것은?

> 이 시기, 일제는 범죄 즉결례 · 경찰범 처벌 규칙 · 조선 태형령을 활용하여 재판을 거치지 않고 한국인에게 벌금 · 태형 · 구류 등을 즉결 처분하였다.

① 조선 광업령을 제정하였다.
② 10호 단위로 애국반을 편성했다.
③ 문관 총독을 임명할 수 있게 하였다.
④ 학교와 관공서에서 조선어 사용을 금지하였다.

4. 다음은 의열단의 활동을 나열한 것이다. 순서대로 바르게 나열한 것은?

> ㉠ 만주 길림에서 의열단이 조직되었다.
> ㉡ 신채호가 '조선 혁명 선언'을 작성하였다.
> ㉢ 김원봉 등이 황포 군관 학교에 입학하였다.
> ㉣ 의열단이 중심이 되어 민족 혁명당을 만들었다.

① ㉠-㉡-㉢-㉣　② ㉠-㉡-㉣-㉢
③ ㉡-㉠-㉢-㉣　④ ㉡-㉢-㉠-㉣

5. 다음 목표로 활동한 군대에 대한 설명으로 옳지 않은 것은?

> • 우리는 분산된 무장 역량을 총집중하여 조국 광복 전쟁을 전면적으로 전개시킬 것
> • 중국 항전에 참가하여 중국 항일군과 연합하여 왜적을 박멸할 것
> • 정치, 경제, 교육을 평등으로 한 신 민주국가 건설에 무력 기간이 될 것

① 국내 정진군을 편성하였다.
② 지청천을 총사령관으로 삼았다.
③ 영국군과 공동 작전을 전개하였다.
④ 중국 공산당의 팔로군과 연합하였다.

6. 다음 주장이 등장하게 된 원인으로 가장 적절한 것은?

> 동포여! … 신탁 관리제를 배격하는 국민 운동을 전개하여 자주 독립을 완전히 획득하기까지 3천만 전 민족의 최후의 피 한 방울까지라도 흘려서 싸우는 항쟁 개시를 선언한다.

① 김구가 경교장에서 암살되었다.
② 미국이 한국 문제를 유엔 총회에 상정하였다.
③ 미 · 소 공동 위원회가 양측의 의견 차이로 결렬되었다.
④ 미 · 영 · 소 외상들이 모스크바에서 한반도 문제를 협의하였다.

7. 다음 시기의 문화 양상으로 옳은 것은?

> 부유한 백성은 토지를 겸병하여 한꺼번에 많은 농사를 짓고 있는데, 적게는 3~4석씩, 많게는 6~7석씩 모를 한꺼번에 붓고 모내기를 하여 노동력을 절약하여 수고를 덜고 있습니다.

① 자격루, 앙부일구 등이 제작되었다.
② 서거정 등이 『동문선』을 편찬하였다.
③ 한글 소설과 사설시조가 유행하였다.
④ 도화서 화원 출신인 안견이 활동하였다.

8. 밑줄 친 '이 시대'에 대한 설명으로 옳은 것은?

> 이 시대에 들어와 잡곡을 농사짓기 시작하였다. 이에 따라 사람들은 조, 기장 등을 중요한 식량으로 이용하였으며, 특히 도토리는 이 시대의 사람들이 즐겨 먹었던 음식으로 갈돌 · 갈판으로 갈아서 익혀 먹었다.

① 정착 생활을 하기 시작하였다.
② 민무늬 토기에 곡식을 저장하였다.
③ 뗀석기를 가지고 짐승을 사냥하였다.
④ 금속제 무기를 가지고 정복 전쟁을 하였다.

9. (가)와 (나) 사이에 들어갈 고구려의 정치 상황으로 옳지 않은 것은?

> (가) 고구려는 졸본 지방을 벗어나 수도를 압록강 근처의 국내성으로 천도하였다.
> (나) 고구려는 거란족 비려의 3개 부락을 격파하고, 후연을 공격하여 만주 일대를 장악하였다.

① 율령을 반포하였다.
② 을파소를 등용하였다.
③ 서안평을 점령하였다.
④ 천리장성을 건립하였다.

10. 다음 (가), (나)의 업적으로 옳지 않은 것은?

> 신라에서는 여러 왕호를 사용하다가 [(가)] 때부터 중국식 칭호인 왕을 사용하였다. 다음 국왕인 [(나)] 재위 후반에는 대왕(태왕)이라는 칭호를 사용하기도 하였다. 신라에서 왕권이 점차 강화되었음을 보여주고 있다.

① (가) : 순장을 금지하였다.
② (가) : 나라 이름을 '신라'로 정하였다.
③ (나) : 중앙 관청을 22부로 확대하였다.
④ (나) : 상대등을 두어 화백 회의를 주관하게 하였다.

11. 밑줄 친 '이 무덤'은?

> 이 무덤은 1971년에 송산리 고분군의 배수로 공사 중에 우연히 발견되었다. 중국 남조의 영향을 받아 무덤 내부를 벽돌로 쌓았다. 무덤의 주인공이 누구인지를 알려 주는 지석이 발견되어 연대를 확실히 알 수 있으며 왕과 왕비의 장신구와 금관 장식, 귀고리, 팔찌 등의 껴묻거리가 출토되었다.

① 호우총 ② 천마총
③ 무령왕릉 ④ 황남대총

12. 다음 사건 이후에 전개된 역사적 사실로 옳은 것은?

> 그는 금산사를 탈출하여 고려의 영역인 금성(나주)으로 들어가 왕건에게 귀순하였다. 왕건은 그에게 높은 벼슬을 주고, 금 · 은 · 비단 · 노비 등을 하사하였다.

① 궁예가 후고구려를 세웠다.
② 왕건은 철원에서 송악으로 수도를 옮겼다.
③ 견훤은 경주(금성)를 습격하여 경애왕을 죽였다.
④ 왕건은 후백제군에 맞서 일리천에서 승리하였다.

13. 다음 시기에 집권했던 국왕의 업적으로 옳은 것은?

> 거란의 소배압이 10만 군대를 동원하여 침략하였다. 고려는 강감찬을 상원수로, 강민첨을 부원수로 삼아 영주에서 막게 하였다. 고려는 흥화진과 대동강 부근 등에서 거란군을 격퇴하였다.

① 귀법사를 창건하였다.
② 별무반을 조직하였다.
③ 의창과 상평창을 설치하였다.
④ 지방을 5도, 양계로 정비하였다.

14. 밑줄 친 '자기'에 대한 설명으로 옳은 것은?

> 고려 시대에는 청자 제작 기술이 크게 발달하였다. 11세기까지는 순청자를 주로 만들었으나, 12세기 중엽부터는 상감법을 개발하여 다양하고 화려한 무늬의 자기를 제작하였다.

① 원 간섭기 이후에 쇠퇴하였다.
② 청자에 백토의 분을 칠한 것이다.
③ 조선 후기에는 민간에까지 널리 사용되었다.
④ 순백의 고상함을 풍겨 선비의 취향에 어울렸다.

15. 다음 특징을 가진 고려 시대의 토지 제도는?

> 현직 관리만을 대상으로 관품의 높낮이에 따라 18과로 나누어 지급하였다. 공음전시, 무산계전시 등이 신설되었으며, 무관에 대한 차별이 시정되었다.

① 역분전 ② 과전법
③ 시정 전시과 ④ 경정 전시과

16. 다음 자료의 (가) 국왕 때의 사실로 옳은 것은?

> 사가독서 제도는 (가) 때 처음 실시하였는데, (가) 는 "각각 맡은 직무로 인해 독서에 전심할 겨를이 없으니 지금부터 본전에 나오지 말고 집에서 전심으로 글을 읽고 성과를 내어 내 뜻에 맞게 하라."라며 그 뜻을 밝혔다.

① 『고려사』, 『고려사절요』가 편찬되었다.
② 칠정산이라는 새로운 달력을 만들었다.
③ 왕족, 공신 등이 소유한 사병을 혁파하였다.
④ 6조 직계제를 실시하여 왕권을 강화하였다.

17. 다음 시기의 정치 제도에 대한 설명으로 옳지 않은 것은?

> ○○ 시대에는 중앙에 5위를 두어 수도를 방어했으며, 지방에는 병마절도사와 수군절도사가 각각 육군과 수군을 지휘하였다.

① 이조의 관원은 인사 업무를 담당하였다.
② 춘추관은 역사서 편찬과 보관을 담당하였다.
③ 의금부에서는 반역죄, 강상죄 등을 다루었다.
④ 승정원은 경연을 주관하고 왕의 자문 역할을 하였다.

18. 다음 정책을 실시한 국왕 때의 사실로 옳은 것은?

> 왕과 신하 사이의 의리를 바로 세워야 한다며, 붕당을 없애자는 논리에 동의하는 탕평파를 중심으로 정국을 운영하였다. 그리고 산림의 존재를 인정하지 않았고, 그들의 본거지인 서원을 대폭 정리하였다.

① 정계가 시파와 벽파로 나뉘어졌다.
② 왕을 지지하던 소론이 집권하였다.
③ 박세채가 탕평론을 처음으로 주장하였다.
④ 송시열 등 노론의 핵심 인물들이 처형되었다.

19. 밑줄 친 인물에 대한 설명으로 옳은 것은?

> 소수 서원은 중종 재위 기간인 1541년에 풍기 군수 주세붕이 안향을 배향하기 위해 세운 백운동 서원이 그 시초였다. 백운동 서원은 이후 명종 때 풍기 군수로 부임한 <u>그</u>의 건의에 따라 소수 서원으로 사액되었다.

① 실천적 성리학풍을 강조하였다.
② 일본의 성리학 발전에 크게 이바지하였다.
③ 그의 문하에서 정인홍, 곽재우 등이 배출되었다.
④ 10만 양병설을 주장했지만 받아들여지지 않았다.

20. 다음 (가)에 들어갈 내용으로 가장 적절한 것은?

> • 명칭 : 조 · 일 수호 조규
> • 체결 연도 : 1876년
> • 협상 대표 : 신헌, 구로다 기요타카
> • 주요 내용 : (가)

① 최혜국 대우 ② 치외 법권 인정
③ 일본 화폐의 유통 ④ 곡식의 무제한 유출

2026 공무원 시험 대비 실전동형 모의고사
한국사
▌제4회 ▌

응시번호	
성 명	

문제책형
㉮

제1과목	국어	제2과목	영어	제3과목	한국사
제4과목		제5과목			

응시자 주의사항

1. **시험시작 전 시험문제를 열람하는 행위나 시험종료 후 답안을 작성하는 행위를 한 사람**은 「공무원임용시험령」 제51조에 의거 **부정행위자**로 처리됩니다.
2. **답안지 책형 표기는 시험시작 전** 감독관의 지시에 따라 **문제책 앞면에 인쇄된 문제책형을 확인** 한 후, **답안지 책형란에 해당 책형(1개)**을 '●'로 **표기**하여야 합니다.
3. **답안은 문제책 표지의 과목 순서에 따라 답안지에 인쇄된 순서(제1·2·3·4·5과목)에 맞추어 표기**해야 하며, 과목 순서를 바꾸어 표기한 경우에도 **문제책 표지의 과목 순서대로 채점**되므로 유의하시기 바랍니다.
4. 시험이 시작되면 문제를 주의 깊게 읽은 후, **문항의 취지에 가장 적합한 하나의 정답만을 고르며,** 문제내용에 관한 질문은 할 수 없습니다.
5. 답안지의 모든 기재 및 표기 사항은 **컴퓨터용 흑색 싸인펜을 사용**하며, 반드시 <보기>의 **올바른 표기 방식**으로 답안을 작성해야 합니다.

   <보기> 올바른 표기: ● 잘못된 표기: ⓥ ⊗ ◑ ⊙ ◍ ◌ ③

6. **답안을 잘못 표기하였을 경우**에는 **답안지를 교체하여 작성**하거나 **수정할 수 있으며,** 표기한 답안을 수정할 때는 **응시자 본인이 가져온 수정테이프만을 사용**하여 해당 부분을 완전히 지우고 부착된 수정테이프가 떨어지지 않도록 손으로 눌러주어야 합니다. **(수정액 또는 수정스티커 등은 사용 불가)**
   - **불량한 수정테이프의 사용과 불완전한 수정처리**로 발생하는 **모든 문제는 응시자 본인에게 책임이 있습니다.**
7. 법령, 고시, 판례 등에 관한 문제는 **2026년 2월 28일 현재 유효한 법령, 고시, 판례 등을 기준**으로 정답을 구해야 합니다. 다만, 개별 과목 또는 문항에서 별도의 기준을 적용하도록 명시한 경우에는 그 기준을 적용하여 정답을 구해야 합니다.
8. **시험시간 관리의 책임은 응시자 본인에게 있습니다.**
   ※ 문제책은 시험종료 후 가지고 갈 수 있습니다.

정답공개 및 가산점 등록 안내

1. 정답공개: 정답가안 4.4.(토) 13:30 / 최종정답 4.13.(월) 18:00 / 사이버국가고시센터
2. 이의제기: 4.4.(토) 18:00 ~ 4.7.(화) 18:00 / 사이버국가고시센터
   - 구체적인 이의제기 방법은 정답가안 공개 시 공지 예정
3. 가산점 등록기간: 4.4.(토) 13:30 ~ 4.6.(월) 21:00
4. 가산점 등록방법: 사이버국가고시센터 ➜ [원서접수 → 가산점 등록/확인]

박문각

한 국 사

1. 밑줄 친 '왕' 때의 사실로 옳은 것은?

> 왕은 당나라가 내분으로 어지러워진 틈을 타서 영토를 크게 넓혔으며 수도를 중경에서 상경으로, 다시 동경으로 옮겼다. 또한, 일본에 외교 문서를 보내 천손(하늘의 자손)이라고 표현하였다.

① 남쪽으로는 신라와 국경을 접하였다.
② 5경 15부 62주의 지방 제도를 정비하였다.
③ 장문휴를 보내 당나라의 등주를 공격하였다.
④ 대흥, 보력 등 독자적인 연호를 사용하였다.

2. (가)의 업적으로 옳은 것은?

> 신라 제27대 왕인 (가) 은/는 우리나라 최초의 여왕이다. 분황사를 창건했으며, 백제의 아비지를 데려와 황룡사 9층 목탑을 세웠다. 또한, 백제 의자왕의 침입으로 나라가 위기에 처하자 김춘추를 당에 보내 원병을 요청하였을 뿐만 아니라 김유신에게 백제를 공격하게 하여 일곱 성을 빼앗기도 하였다.

① 첨성대를 세웠다.
② 당항성을 설치하였다.
③ 일본에 아직기를 보냈다.
④ 관리의 공복을 만들었다.

3. 밑줄 친 인물의 신분에 대한 설명으로 옳지 않은 것은?

> 나는 절친한 친구와 20살에 관직 생활을 시작하였다. 나와 내 친구는 누구보다 능력이 뛰어났기에 붉은색 관복까지 입을 수 있었다. 그러나 몇 년 뒤 친구가 와서 대아찬으로 승진했다는 말을 하는 순간 나는 그 자리에서 얼어붙고 말았다. 신분의 한계로 나는 죽어도 오를 수 없는 자리였다.

① 득난이라고 불리었다.
② 아찬까지만 승진할 수 있었다.
③ 화랑이 되어 낭도들을 이끌었다.
④ 중앙 관부의 장관이 될 수 없었다.

4. (가), (나)에 들어갈 국왕 때의 사실로 옳은 것은?

> 성리학은 (가) 때 안향이 고려에 처음 소개하였다. 또한, (나) 의 부름을 받은 이제현은 원나라의 수도인 연경에서 학자들과 교류하면서 성리학에 대한 이해 수준을 높였다.

① (가)는 원나라 풍습을 폐지하였다.
② (나) 때 『삼국유사』, 『제왕운기』 등이 편찬되었다.
③ (가) 때 무신 정권이 붕괴되고 왕정이 복구되었다.
④ (나) 때 원나라 역법인 수시력이 전래되었다.

5. 밑줄 친 '이 왕' 때의 일로 옳지 않은 것은?

> 이 왕 때 7재를 두었는데 주역을 공부하는 여택재, 성서를 공부하는 대빙재, 모시(毛詩)를 공부하는 경덕재, 주례를 공부하는 구인재, 대례를 공부하는 복응재, 춘추를 공부하는 양정재, 무학을 공부하는 강예재이다.

① 속현에 감무를 파견하였다.
② 도교 사원인 복원궁을 세웠다.
③ 주전도감을 설치하여 화폐를 주조하였다.
④ 윤관이 별무반을 이끌고 여진족을 정벌하였다.

6. 다음 (나) 시기에 백제에서 있었던 사건으로 옳은 것은?

> (가) 고구려가 평양으로 천도하였다.
> ↓
> (나)
> ↓
> (다) 신라가 처음으로 연호를 사용하였다.

① 불교를 공인하였다.
② 22담로를 설치하였다.
③ 한강 유역을 통합하였다.
④ 전라도까지 영토를 넓혔다.

7. 빈칸에 들어갈 인물에 대한 설명으로 옳은 것은?

> ○○은/는 법회를 마치고 또래의 젊은 승려들과 결사를 다짐하며 "마땅히 명리(名利)를 버리고 산림에 은둔하여 정혜에 힘쓰자." 고 하였는데, 이것이 바로 수선사결사(정혜결사)였다.

① 해동 천태종을 창시하였다.
② 유·불 일치설을 주장하였다.
③ 원나라에서 임제종을 도입하였다.
④ 선종을 중심으로 교종을 포용하였다.

8. 다음 (가), (나)에 들어갈 말이 바르게 짝지어진 것은?

> 조선 시대의 문과는 3년마다 실시하는 (가) 와 부정기 시험인 증광시, 알성시 등이 있었다. 『경국대전』에 따르면 (나) 는 초시에서 각 도의 인구 비례로 선발한 후, 2차 시험인 복시에서 33인을 선발한 다음, 국왕 앞에서 실시하는 전시에서 순위를 결정하였다.

	(가)	(나)
①	격년시	소과
②	식년시	대과
③	격년시	대과
④	식년시	소과

9. 다음 사건과 관련된 내용으로 가장 적절한 것은?

> 유자광이 … 왕께 아뢰기를 "김종직이 우리 전하(세조)를 헐뜯는 것이 이에 이르렀으니, 그 부도덕한 죄는 마땅히 대역으로 논해야 하고, 그가 지은 다른 글도 세상에 남아 있는 것이 마땅치 못하오니, 아울러 모두 불태워 버리소서." 하니 왕이 이를 허락하였다.

① 도교 기관인 소격서가 폐지되었다.
② 김일손 등 사림 세력들이 큰 피해를 입었다.
③ 폐비 윤씨 사건과 관련된 자들이 제거되었다.
④ 외척 세력인 윤임과 윤원형이 서로 대립하였다.

10. 밑줄 친 '우리 주상 전하' 때의 문화 양상으로 옳은 것은?

> 세종 대왕께서는 집현전 유신(儒臣)들에게 명하여 오례의를 상세히 정하게 하셨다. … 예종 대왕과 <u>우리 주상 전하</u>께서 선왕의 뜻을 이어 이 방대한 책을 완성하게 하셨다. … 예를 기술한 것이 3,300가지나 되지만, 그 요점은 길례 · 흉례 · 군례 · 빈례 · 가례 다섯 가지일 뿐이다.

① 강희맹이 『금양잡록』을 저술하였다.
② 경복궁 동쪽에 창덕궁을 새로 건립하였다.
③ 갑인자, 경자자 등의 금속 활자를 만들었다.
④ 간경도감을 설치하여 불교 경전을 번역하였다.

11. 다음 시기에 볼 수 있는 경제 모습으로 옳지 않은 것은?

> 근리 세상의 도리가 점차 썩어, 돈 많고 힘 있는 백성들이 군역을 피하고자 한다. 간사한 아전과 한통속이 되어 뇌물을 쓰고 호적을 위조하여 '유학'이라고 거짓으로 올리고 면역하거나 다른 고을로 옮겨가서 스스로 양반 행세를 한다.

① 청나라 상인과 거래하는 만상
② 지폐인 저화로 물건을 구매하는 농민
③ 물주의 자금으로 광산을 경영하는 덕대
④ 여러 장시를 돌며 물품을 판매하는 보부상

12. 다음 역사적 사실들을 순서대로 바르게 나열한 것은?

> ㉠ 청나라에서 『고금도서집성』을 수입하였다.
> ㉡ 이인좌가 청주에서 대규모 반란을 일으켰다.
> ㉢ 청의 요청으로 조총 부대를 영고탑으로 파견하였다.
> ㉣ 훈련별대를 정초군과 통합하여 금위영을 설치하였다.

① ㉢-㉣-㉠-㉡　　② ㉢-㉣-㉡-㉠
③ ㉣-㉢-㉠-㉡　　④ ㉣-㉢-㉡-㉠

13. (가)와 (나) 사이에 들어갈 역사적 사실로 옳은 것은?

> (가) 전봉준과 농민들은 고부 관아를 습격하여 군수를 내쫓고 아전들을 징벌하였다.
> (나) 동학 농민군은 청 · 일 양군에 대한 철병 요구와 폐정 개혁을 조건으로 관군과 전주 화약을 맺었다.

① 청 · 일 전쟁이 발발하였다.
② 1차 김홍집 내각이 성립되었다.
③ 전봉준이 전라도 무장에서 봉기하였다.
④ 논산에 남접과 북접의 동학 농민군이 집결하였다.

14. 다음 자료가 발표된 이후의 역사적 사실로 옳지 않은 것은?

> 나라는 옛 나라이나 천명을 새로 받았으니 이제 이름을 새로 정하는 것이 합당하다. … '대한(大韓)'이라는 이름을 살펴보면 황제의 정통을 이은 나라에서 이런 이름을 쓴 적이 없다. … 삼한을 아우른 것이니 '큰 한'이라는 이름이 적합하다.

① 고종이 경운궁으로 환궁하였다.
② 한 · 청 통상 조약을 체결하였다.
③ 이범윤을 북변 간도 관리사로 임명하였다.
④ 토지 조사를 위해 지계아문을 설치하였다.

15. 다음 자료의 정책이 가능했던 조약의 이름은?

> 함경도 관찰사로부터 보고를 받았는데, 그 내용은 다음과 같았습니다. "큰 수해를 당하여 조만간 여러 곡식의 피해가 클 듯한데, 콩 등은 더욱 심하여 모두 흉작이 될 것이라고 고하고 있으니 궁핍하여 식량난을 겪을 것이 … 잠정적으로 유출을 금지하여 백성들의 식량 사정을 넉넉하게 하는 것이 마땅할까 합니다. …"

① 강화도 조약
② 조 · 일 수호 조규 부록
③ 개정 조 · 일 통상 장정
④ 조 · 미 수호 통상 조약

16. 다음 (가)에 대한 설명으로 옳은 것은?

> 백산 상회는 안희제가 1914년에 부산에 세운 민족 기업이다. 국내와 만주 지역에 지점을 두었으며, 독립운동 자금을 지원하였다. 특히, 3 · 1 운동 이후에는 (가) 의 군자금을 조달하였다.

① 미국에 구미 위원부를 설치하였다.
② 자기 회사와 태극서관을 설립하였다.
③ 입헌 정치 체제의 수립을 목표로 활동하였다.
④ 이상설을 대통령으로, 이동휘를 부통령으로 선출하였다.

17. 다음 (가) 운동이 추진된 시기의 일제 식민 통치에 대한 설명으로 옳은 것은?

> 일제는 춘궁 퇴치, 차금 퇴치, 차금 예방의 세 가지 목표를 내세우고 조선 농촌의 자력 갱생을 도모하는 (가) 운동을 추진하였다. 그러나 본질은 농민의 생활을 통제하여 긴축 생활과 납세 이행을 독려하고 소작 쟁의를 약화시키고자 한 것이다.

① 국민 정신 총동원 연맹을 조직하였다.
② 병력 보충을 위해 징병제를 도입하였다.
③ 보통학교의 수업 연한을 4년으로 하였다.
④ 회사를 설립할 때 조선 총독의 허가를 받도록 하였다.

18. 밑줄 친 인물이 속한 단체에 대한 설명으로 옳지 않은 것은?

> 1929년 10월 전남 광주에서 광주 고등 보통학교 학생과 광주 중학교 생도 사이에 갈등이 생겼다. … 피고 <u>허헌</u>은 다른 간부들과 함께 친히 광주까지 가서 정황을 조사하였다. … 시위 운동을 감행하고자 모의하였다.

① 원산 노동자 총파업을 지원하였다.
② 만주와 일본에도 지회를 두고 활동하였다.
③ 조선학 운동 등 문화 · 학술 활동에 주력하였다.
④ 비타협적 민족주의자들과 사회주의자들이 참여하였다.

19. 다음의 선언문이 나오게 된 배경으로 옳은 것은?

> 오늘 우리는 전 세계의 이목이 주시하는 가운데 … 독재 정치를 청산하고 희망찬 민주 국가를 건설하기 위한 거보를 전 국민과 함께 내딛는다. 국가의 미래요 소망인 꽃다운 젊은이를 야만적인 고문으로 죽여 놓고 그것도 모자라서 뻔뻔스럽게 국민을 속이려 했던 현 정권에게 국민의 분노가 무엇인지를 분명히 보여주고 … 민주장정을 시작한다.

① 4 · 13 호헌 조치
② 3 · 15 부정 선거
③ 긴급 조치권 발동
④ 한 · 일 국교 정상화 추진

20. 밑줄 친 인물에 대한 설명으로 옳은 것은?

> <u>나</u>는 1942년 4월부터 12월까지 일본 도쿄를 방문한 적이 있었다. 그때 미국 공군기가 공습하는 모습을 목격하고, 일본의 패망이 멀지 않았음을 직감하였다. 일본의 패배에 확신을 가진 <u>나</u>는 징병 · 징용 거부자와 학생들을 모아 비밀 조직인 조선 건국 동맹을 만들었다.

① 한국 민주당을 창당하였다.
② 남북 연석회의를 주도하였다.
③ 좌우 합작 위원회를 구성하였다.
④ '3천만 동포에게 읍고함'을 발표하였다.

2026 공무원 시험 대비 실전동형 모의고사

한국사

▌제5회 ▌

응시번호	
성 명	

문제책형

㉮

제1과목	국어	제2과목	영어	제3과목	한국사
제4과목		제5과목			

응시자 주의사항

1. **시험시작 전 시험문제를 열람하는 행위나 시험종료 후 답안을 작성하는 행위를 한 사람**은 「공무원임용시험령」 제51조에 의거 **부정행위자**로 처리됩니다.
2. **답안지 책형 표기는 시험시작 전** 감독관의 지시에 따라 **문제책 앞면에 인쇄된 문제책형을 확인** 한 후, **답안지 책형란에 해당 책형(1개)**을 '●'로 **표기**하여야 합니다.
3. **답안은 문제책 표지의 과목 순서에 따라 답안지에 인쇄된 순서(제1·2·3·4·5과목)에 맞추어 표기**해야 하며, 과목 순서를 바꾸어 표기한 경우에도 **문제책 표지의 과목 순서대로 채점**되므로 유의하시기 바랍니다.
4. 시험이 시작되면 문제를 주의 깊게 읽은 후, **문항의 취지에 가장 적합한 하나의 정답만을 고르며,** 문제내용에 관한 질문은 할 수 없습니다.
5. 답안지의 모든 기재 및 표기 사항은 **컴퓨터용 흑색 싸인펜을 사용**하며, 반드시 <보기>의 **올바른 표기 방식**으로 답안을 작성해야 합니다.

   <보기> 올바른 표기: ● 잘못된 표기: ⓥ ⊗ ◑ ⊙ ⦶ ◌ ③

6. **답안을 잘못 표기하였을 경우**에는 **답안지를 교체하여 작성**하거나 **수정할 수 있으며,** 표기한 답안을 수정할 때는 **응시자 본인이 가져온 수정테이프만을 사용**하여 해당 부분을 완전히 지우고 부착된 수정테이프가 떨어지지 않도록 손으로 눌러주어야 합니다. **(수정액 또는 수정스티커 등은 사용 불가)**
   - **불량한 수정테이프의 사용과 불완전한 수정처리**로 발생하는 **모든 문제는 응시자 본인에게 책임이 있습니다.**
7. 법령, 고시, 판례 등에 관한 문제는 **2026년 2월 28일 현재 유효한 법령, 고시, 판례 등을 기준**으로 정답을 구해야 합니다. 다만, 개별 과목 또는 문항에서 별도의 기준을 적용하도록 명시한 경우에는 그 기준을 적용하여 정답을 구해야 합니다.
8. **시험시간 관리의 책임은 응시자 본인에게 있습니다.**

   ※ 문제책은 시험종료 후 가지고 갈 수 있습니다.

정답공개 및 가산점 등록 안내

1. 정답공개: 정답가안 4.4.(토) 13:30 / 최종정답 4.13.(월) 18:00 / 사이버국가고시센터
2. 이의제기: 4.4.(토) 18:00 ~ 4.7.(화) 18:00 / 사이버국가고시센터
   - 구체적인 이의제기 방법은 정답가안 공개 시 공지 예정
3. 가산점 등록기간: 4.4.(토) 13:30 ~ 4.6.(월) 21:00
4. 가산점 등록방법: 사이버국가고시센터 ➜ [원서접수 → 가산점 등록/확인]

박문각

한 국 사

1. 다음 (가) 나라에 대한 설명으로 옳은 것은?

> (가) 는 고구려 개마대산 동쪽에 있다. 동쪽은 넓은 바다에 맞닿아 있으며 … 동서로는 좁고 남북으로는 길어 사방 천 리의 절반쯤 된다. 북쪽은 읍루 · 부여, 남쪽은 예맥과 맞닿아 있다.

① 1세기 초에 왕호를 사용하였다.
② 여러 개의 소국으로 구성된 연맹체였다.
③ 다른 읍락을 침범하면 노비, 소, 말로 배상하였다.
④ 온 집안 식구들을 하나의 곽 속에 넣어 매장하였다.

2. 밑줄 친 인물이 활동했던 시기에 대한 설명으로 옳은 것은?

> 유청신은 초명이 비(庇)며, 장흥부 고이 부곡인이다. 나라 제도에 부곡인은 비록 공이 있더라도 5품을 넘을 수 없다고 하였다. … 몽골어를 익혀 여러 차례 원에 사신으로 가서 잘 응대하였다. 이로 말미암아 왕의 총애를 받아 낭장에 임명되었다.

① 말갈의 토착 문화가 지방을 중심으로 유지되었다.
② 부계 위주의 족보를 편찬하고 동성 마을을 이루었다.
③ 뇌물죄와 횡령죄는 3배를 추징하고 종신형에 처하였다.
④ 향도는 마을의 노동력이 동원될 때 주도적 역할을 하였다.

3. 다음과 같이 주장한 인물에 대한 설명으로 옳은 것은?

> 소격서는 본래 이단이며 예(禮)에도 어긋나는 것이니 비록 수명을 빌고자 해도 복을 얻을 수 없습니다. 소비가 많고 민폐도 커서 나라의 근본을 손상시키니 어찌 애석하지 않겠습니까.

① 척신 정치의 잔재 청산에 소극적이었다.
② 공론의 주재자인 산림으로서 활동하였다.
③ 현량과와 향약의 시행 등을 주요 정책으로 삼았다.
④ 길재의 학통을 이어받고 김일손 등 제자들을 길렀다.

4. 다음 (가) 재위 기간에 있었던 역사적 사실로 옳은 것은?

> 임사홍이란 음험하고 간사한 자가 있었는데, 선왕 때 내쫓겨 거의 30년이나 지났으므로 항상 이를 갈다가, 그 아들 임숭재가 옹주에게 장가를 들면서 궁중을 출입할 수 있게 되었다. (가) 의 뜻을 잘 헤아려 마침내 조정을 위협할 술책을 비밀리에 마련하였다.

① 사간원을 폐지하고 홍문관마저 혁파하였다.
② 대동법을 경기도에서 처음으로 시행하였다.
③ 황해도를 중심으로 임꺽정의 난이 일어났다.
④ 원각사와 그 안에 원각사 10층탑을 건립하였다.

5. 밑줄 친 '임금'의 업적으로 옳은 것은?

> 임금이 상소를 보고 최만리 등에게 이르기를, "너희들이 이르기를 '음(音)을 사용하고 글자를 합한 것이 모두 옛 글에 위반된다.' 하였는데, 설총의 이두도 역시 발음이 다르지 않으냐. 또 이두를 제작한 본래의 뜻이 백성을 편리하게 하려는 것이 아니겠느냐. 만일 그것이 백성을 편리하게 한 것이라면 지금의 언문은 백성을 편리하게 하려는 것이 아니겠느냐? 너희들이 설총은 옳다 하면서 임금이 하는 일은 틀렸다고 하는 것은 어째서이냐. …" 하였다.

① 정도전을 중용하였다.
② 집현전을 육성하였다.
③ 종로에 시전을 조성하였다.
④ 김종직 등 사림을 등용하였다.

6. 다음 정치 기구에 대한 설명으로 옳지 않은 것은?

> 재신(宰臣)으로서 이 일을 맡은 사람을 지변 재상(知邊宰相)이라고 불렀습니다. 그러나 이것은 일시적인 전쟁 때문에 설치한 것으로서, 국가의 중요한 모든 일들을 참으로 다 맡긴 것은 아니었습니다. 그런데 오늘에 와서는 큰일이건 작은 일이건 중요한 것으로 취급되지 않는 것이 없는데, 정부는 한갓 헛이름만 지니고 6조는 모두 그 직임을 상실하였습니다.

① 창덕궁 앞에 청사가 있었다.
② 대원군 시기에 기능이 강화되었다.
③ 삼포왜란을 계기로 처음 설치되었다.
④ 본래 군사 문제를 처리하는 임시 회의 기구였다.

7. (가) 재위 기간에 있었던 역사적 사실로 옳은 것은?

> (가) 은/는 국사의 전권을 김좌근에게 위임하였다. 그러자 김좌근의 일족인 김문근, 김수근, 김병기 등 안동 김씨들이 완전히 정계를 좌지우지하였다. (가) 재위 기간은 안동 김씨 세도 정치가 가장 절정을 이뤘던 시기라고 할 수 있다.

① 최제우가 동학을 창시하였다.
② 사교를 배격하는 척사윤음이 발표되었다.
③ 공노비 6만 6천여 명을 양인으로 해방시켰다.
④ 통신사로 일본에 갔던 조엄이 고구마를 가져왔다.

8. 다음 (가)에 대한 설명으로 옳은 것은?

> 왕이 궁중의 사람을 시켜 그 집에 가서 죽이게 하였다. 그 사람이 포대기에서 그 애를 꺼내 처마 아래로 던졌는데, 유모인 여자 종이 몰래 받다가 실수하여 손가락으로 눈을 찔러 한쪽 눈이 멀었다. … (가) 은/는 머리를 깎고 중이 되어 스스로 선종(善宗)이라고 이름하였다. … 먼 곳과 가까운 곳에서 도적들이 벌떼처럼 일어나 그 아래 백성이 개미처럼 모여들었다. … 북원의 도적 양길에게 의탁하니, 양길이 잘 대우하며 일을 맡기고 드디어 군사를 나누어 주어 동쪽으로 땅을 점령하도록 하였다.

① 고려를 건국하였다.
② 살아 있는 미륵불을 자처하였다.
③ 해상 무역으로 성장한 호족 출신이다.
④ 전라도 지방의 군사력을 토대로 성장하였다.

9. 밑줄 친 '왕'의 재위 기간에 있었던 사실로 옳은 것은?

> 왕은 신라를 습격하기 위하여 친히 보병과 기병 50명을 거느리고 밤에 구천(狗川)에 이르렀는데, 신라의 복병이 나타나 그들과 싸우다가 살해되었다.

① 백제가 신라 대야성을 공격하였다.
② 신라는 이사부를 보내 대가야를 정복하였다.
③ 백제는 노리사치계를 일본에 보내 불교를 전했다.
④ 신라는 수나라에 걸사표를 보내 고구려 정벌을 요청하였다.

10. 조선 시대 기록물들에 대한 설명으로 옳은 것을 모두 고르면?

> ㉠ 사초는 승정원의 주서가 기록하였다.
> ㉡ 조선왕조실록은 국왕 사후 편찬이 원칙이었다.
> ㉢ 시정기는 춘추관에서 각 관청의 업무 기록을 종합하여 편찬한 것이다.
> ㉣ 의궤는 왕실이나 국가에 행사가 있을 때 행사의 경과 · 절차 등을 기록해 놓은 책이다.

① ㉠, ㉡　② ㉡, ㉢
③ ㉡, ㉢, ㉣　④ ㉠, ㉢, ㉣

11. 다음 시기의 국왕에 대한 설명으로 가장 적절한 것은?

> 동북면 병마사 유인우가 쌍성을 함락하고 쌍성 총관 조소생과 천호 탁도경이 도망쳐 버리니, 화주, 등주, … 등지를 되찾게 되었다. 이 지역은 고종 이후 원이 차지하였는데, 이때 와서 모두 수복한 것이다.

① 관제 복구　② 만권당 설립
③ 과전법 시행　④ 정동행성 설치

12. 조선 시대의 문화재들을 제작된 순서대로 바르게 나열한 것은?

> ㉠ 도산 서원
> ㉡ 수원 화성
> ㉢ 무위사 극락전
> ㉣ 법주사 팔상전

① ㉠-㉢-㉣-㉡　② ㉠-㉣-㉡-㉢
③ ㉢-㉠-㉣-㉡　④ ㉢-㉣-㉠-㉡

13. 밑줄 친 (가), (나)에 대한 설명으로 옳은 것은?

> (가)<u>너희 나라</u>와 우리나라 사이에는 원래 왕래도 없었고, 은혜를 입거나 원수를 진 일도 없다. (나)<u>이번 덕산 묘지에서 저지른 사건</u>은 사람으로서 차마 할 수 있는 일이겠는가? … 이런 사태에서 우리나라 신하와 백성들은 있는 힘을 다하여 한 마음으로 네놈들과 같은 하늘을 이고 살 수 없다는 것을 다짐할 뿐이다.

① (가)는 수교 이후 절영도를 조차하려고 하였다.
② (가)와의 조약 체결은 천주교 전래 문제로 지연되었다.
③ (나)는 최익현이 5불가소를 올린 배경이 되었다.
④ (나) 이후 어재연이 광성보에서 저항하다가 전사하였다.

14. 다음 자료와 관련 있는 단체에 대한 설명으로 옳지 않은 것은?

> 백정 박성춘이 말하였다. "이 사람은 바로 대한에서 가장 천한 사람이고 매우 무식합니다. 그러나 임금께 충성하고 나라를 사랑하는 뜻은 대강 알고 있습니다. 이제 나라를 이롭게 하고 백성을 편리하게 하는 방도는 관리와 백성이 마음을 합한 뒤에야 가능하다고 생각합니다. 저 차일(천막)에 비유하면, 한 개의 장대로 받치자면 힘이 부족하지만 만일 많은 장대로 힘을 합친다면 그 힘은 매우 튼튼합니다. 삼가 원하건대, 관리와 백성이 마음을 합하여 우리 대황제의 훌륭한 덕에 보답하고 국운이 영원토록 무궁하게 합시다." 회중이 박수를 보냈다.

① 자유 민권 운동과 국민 참정권 운동을 전개하였다.
② 중추원을 개편하여 의회 기능을 도입하려고 하였다.
③ 정부는 황국 중앙 총상회를 동원하여 이 단체를 습격하였다.
④ 보수파 관료들은 익명서 사건을 조작하여 이 단체를 모함하였다.

15. 밑줄 친 '손탁 호텔'이 설립된 이후에 전개된 역사적 사실로 옳은 것은?

> 손탁은 독일인으로 당시 러시아 베베르 공사의 친척이었다. 이 여인이 경영하는 호텔을 <u>손탁 호텔</u>이라 불렀다. <u>손탁 호텔</u>은 당시 왕의 거처였던 덕수궁과 가깝고 주한 외교관들이 자주 드나들던 정동에 있었다. 또한 러시아풍의 2층 건물로 실내 장식은 모두 서양식이었다.

① 한성순보가 창간되었다.
② 한성 사범 학교 관제를 발표하였다.
③ 박은식이 「유교구신론」을 저술하였다.
④ 경인선이 완공되어 운행을 시작하였다.

16. 다음 (가) 단체에 대한 설명으로 옳은 것은?

> 임병찬은 을사늑약이 체결되자, 스승 최익현과 함께 의병을 일으켰다가 쓰시마섬에 유배를 당하였다. 귀국한 후 은거하던 그는 고종의 비밀 지령을 받고 전국의 의병장과 유생들을 모아 (가) 을/를 조직하였다.

① 박상진을 총사령으로 삼았다.
② 2 · 8 독립 선언을 계기로 조직되었다.
③ 총독부에 국권 반환 요구서를 보내려고 하였다.
④ 광산과 우편차 등을 습격하여 군자금을 마련하였다.

17. 밑줄 친 '이 지역'에 대한 설명으로 옳은 것은?

> <u>이 지역</u>은 본래 고구려가 차지했을 때 국원성이라 불렸다. 이후 신라 진흥왕이 <u>이 지역</u>을 빼앗아 국원소경을 두었고, 이후 경덕왕 때 중원경으로 이름을 바꾸었다. 고려 시대의 학자인 이숭인은 시에서 '저 월악을 보니 중원에 비껴 있는데, 한강의 물이 처음 발원했네.'라고 <u>이 지역</u>을 표현하였다.

① 신문왕 때 이 지역으로 천도를 시도하였다.
② 조선 시대 실록이 보관된 사고가 있던 곳이다.
③ 현존하는 가장 오래된 족보가 편찬된 지역이다.
④ 이괄의 난을 피해 인조가 이 지역으로 피난하였다.

18. 밑줄 친 운동이 전개된 시기에 임시 정부에서 일어난 사실로 옳은 것은?

> 동아일보는 학생 계몽대를 조직하여 <u>브나로드 운동</u>을 전개하였다. 이 운동은 학생 계몽대, 학생 강연대, 학생 기자대 등으로 역할을 분담하여 전개되었다. 이 운동을 통하여 5천여 명의 계몽 대원들이 1,300여 지역에서 10여만 명을 대상으로 국어를 보급하였으며 위생 의식 등에 관한 지식을 전파하였다.

① 부주석제 신설
② 건국 강령 발표
③ 한인 애국단 활동
④ 국민 대표 회의 개최

19. 빈칸에 들어갈 인물이 대통령이었을 때의 사실로 옳은 것은?

> 1987년 12월에 치러진 대통령 선거에서는 야당 세력의 분열에 힘입어 집권당의 ○○○이/가 제13대 대통령에 선출되었다(제6공화국). 이듬해에는 국회 의원 선거가 실시되었다. 선거 결과 야당 의석수의 합이 여당보다 많은 이른바 '여소야대' 정국이 형성되었다.

① 10월 유신을 단행하였다.
② 일본과의 국교 정상화를 추진하였다.
③ 한 · 미 상호 방위 조약을 체결하였다.
④ 소련, 중국과 외교 관계를 수립하였다.

20. 밑줄 친 '이 시기'의 사회·경제 상황으로 가장 적절한 것은?

> <u>이 시기</u> 3차 · 4차 경제 개발 5개년 계획을 통해 중화학 공업이 성장하였다. 석유 화학, 조선, 철강, 전자, 자동차를 포함한 기계 산업에 대한 투자가 크게 늘어나고 경상도 해안 지역에 대규모 산업 단지가 조성되었다.

① 금융 실명제가 시행되었다.
② 제분, 제당, 면방직 등 삼백 산업이 발달하였다.
③ 저금리 · 저유가 · 저달러의 3저 호황이 발생했다.
④ 농어촌 환경 개선을 위해 새마을 운동이 시행되었다.

2026 공무원 시험 대비 실전동형 모의고사
한국사
▌제6회▐

응시번호	
성 명	

문제책형
㉮

제1과목	국어	제2과목	영어	제3과목	한국사
제4과목		제5과목			

응시자 주의사항

1. **시험시작 전 시험문제를 열람하는 행위나 시험종료 후 답안을 작성하는 행위를 한 사람**은 「공무원임용시험령」 제51조에 의거 **부정행위자**로 처리됩니다.
2. **답안지 책형 표기는 시험시작 전** 감독관의 지시에 따라 **문제책 앞면에 인쇄된 문제책형을 확인**한 후, **답안지 책형란에 해당 책형(1개)**을 '●'로 **표기**하여야 합니다.
3. **답안은 문제책 표지의 과목 순서에 따라 답안지에 인쇄된 순서(제1·2·3·4·5과목)에 맞추어 표기**해야 하며, 과목 순서를 바꾸어 표기한 경우에도 **문제책 표지의 과목 순서대로 채점**되므로 유의하시기 바랍니다.
4. 시험이 시작되면 문제를 주의 깊게 읽은 후, **문항의 취지에 가장 적합한 하나의 정답만을 고르며,** 문제내용에 관한 질문은 할 수 없습니다.
5. 답안지의 모든 기재 및 표기 사항은 **컴퓨터용 흑색 싸인펜을 사용**하며, 반드시 <보기>의 **올바른 표기 방식**으로 답안을 작성해야 합니다.

   <보기> 올바른 표기: ● 잘못된 표기: ⓥ ⊗ ◑ ⊙ ⦶ ○ ③

6. **답안을 잘못 표기하였을 경우**에는 **답안지를 교체하여 작성**하거나 **수정할 수 있으며,** 표기한 답안을 수정할 때는 **응시자 본인이 가져온 수정테이프만을 사용**하여 해당 부분을 완전히 지우고 부착된 수정테이프가 떨어지지 않도록 손으로 눌러주어야 합니다. **(수정액 또는 수정스티커 등은 사용 불가)**
   - **불량한 수정테이프의 사용과 불완전한 수정처리**로 발생하는 **모든 문제는 응시자 본인에게 책임이 있습니다.**
7. 법령, 고시, 판례 등에 관한 문제는 **2026년 2월 28일 현재 유효한 법령, 고시, 판례 등을 기준**으로 정답을 구해야 합니다. 다만, 개별 과목 또는 문항에서 별도의 기준을 적용하도록 명시한 경우에는 그 기준을 적용하여 정답을 구해야 합니다.
8. **시험시간 관리의 책임은 응시자 본인에게 있습니다.**

   ※ 문제책은 시험종료 후 가지고 갈 수 있습니다.

정답공개 및 가산점 등록 안내

1. 정답공개: 정답가안 4.4.(토) 13:30 / 최종정답 4.13.(월) 18:00 / 사이버국가고시센터
2. 이의제기: 4.4.(토) 18:00 ~ 4.7.(화) 18:00 / 사이버국가고시센터
   - 구체적인 이의제기 방법은 정답가안 공개 시 공지 예정
3. 가산점 등록기간: 4.4.(토) 13:30 ~ 4.6.(월) 21:00
4. 가산점 등록방법: 사이버국가고시센터 ➜ [원서접수 → 가산점 등록/확인]

박문각

한 국 사

1. 다음 자료에서 설명하는 나라의 사회 모습으로 옳은 것은?

> 풍속은 산천을 중요시하여 산과 내마다 각기 구분이 있어 함부로 들어가지 않는다. … 해마다 10월이면 하늘에 제사를 지내는데 밤낮으로 술을 마시고 노래를 부르며 춤추니 …
> -『삼국지』 동이전

① 신성 지역으로 소도가 있었다.
② 읍군 · 삼로라고 불리는 군장이 있었다.
③ 여러 가(加)들이 별도로 사출도를 주관하였다.
④ 산이 많고 평야가 적어 약탈 경제가 발달하였다.

2. (가)와 (나) 사이에 들어갈 역사적 사실로 옳지 않은 것은?

> (가) 왕규가 광주원군을 옹립하려고 도모하였다. 왕이 깊이 잠든 틈을 타서 그의 무리로 하여금 침실에 잠입시켜 왕을 해하려 하였다.
> (나) 왕이 교서를 내려 말하기를, "경전에 통하고 전적(典籍)을 널리 읽은 자들을 선발하여 경학박사와 의학박사로 삼아 12목에 각각 1명씩 파견하여 돈독하게 가르치고 깨우치게 하라."라고 하였다.

① 후주 출신인 쌍기를 중용하였다.
② 광덕, 준풍 등의 연호를 사용하였다.
③ 경순왕 김부를 사심관으로 임명하였다.
④ 서경으로 천도하려 했으나 실패하였다.

3. 다음 시기에 집권하고 있었던 발해 국왕에 대한 설명으로 옳은 것은?

> 흑수 말갈과 연해주 지방에 있는 말갈의 여러 부족을 토벌하여 대부분의 말갈족을 복속시켜 더욱 영토를 확장했으며 여러 제도를 정비하고, 문학과 예술을 일으켜 발해의 전성기를 이루었다. 이때 발해의 영토는 북쪽으로는 흑룡강에 이르렀으며, 서북은 송화강에서 거란과 서로 마주했으며, 서남은 압록강 하류에서 당나라와 서로 맞닿았다. 당나라에서 발해를 해동성국이라 한 것도 이때의 일이다.

① 익산에 미륵사를 건립하였다.
② 건흥이라는 연호를 사용하였다.
③ 태학감을 설치하여 유교 교육을 강화하였다.
④ 수도를 동경 용원부에서 상경 용천부로 옮겼다.

4. 다음 (가)에 대한 설명으로 옳지 않은 것은?

> (가) 이/가 왕위에 올랐다. … 진덕 여왕이 죽자 여러 신하들이 이찬 알천에게 섭정을 요청하였으나 알천이 굳이 사양하며 말하기를, "저는 늙고 이렇다 할 덕행이 없습니다. 지금 덕망이 높기는 그 만한 이가 없는데, 실로 세상을 다스릴 뛰어난 인물이라고 할 만합니다."라고 하였다. 마침내 그를 받들어 왕으로 삼으려고 하였다. 그는 세 번을 사양하다가 마지못하여 왕위에 올랐다.

① 최초의 진골 출신 국왕이다.
② 동시와 동시전을 설치하였다.
③ 고구려에 가서 군사적 도움을 요청하였다.
④ 상대등 비담 등이 일으킨 반란을 진압하였다.

5. 밑줄 친 '왕'의 업적으로 옳은 것은?

> 겨울에 <u>왕</u>이 태자와 함께 정예군 3만 명을 거느리고 고구려에 침입하여 평양성을 공격하였다. 고구려 왕 사유가 힘을 다해 싸워 이를 막았으나 날아오는 화살에 맞아 죽었다. 왕이 군사를 이끌고 물러났다.

① 웅진으로 천도하였다.
② 중앙에 6개의 좌평을 두었다.
③ 중국 남조의 양나라와 교류하였다.
④ 고흥에게 『서기』를 편찬하게 하였다.

6. 밑줄 친 '왕'의 재위 기간에 있었던 사실로 옳은 것은?

> 안향은 학교가 날로 쇠퇴함을 근심하여 건의하기를, "재상의 직무는 인재를 교육하는 것보다 급한 것이 없습니다. 지금 양현고가 바닥나 인재를 기를 수 없으니 … 섬학전을 두어 양현고를 보충하도록 합시다."라고 하였다. <u>왕</u>이 이를 허락하여 내고(왕실 재정을 담당하는 창고)의 곡식을 내어주었다.

① 서경의 동녕부를 돌려받았다.
② 원나라 연호 사용을 폐지하였다.
③ 화주에 쌍성총관부가 설치되었다.
④ 각염법을 만들어 소금의 전매를 시행하였다.

7. 다음 사건이 있었던 국왕 때의 사실로 옳은 것은?

> 선전관 이용준 등이 정여립을 토벌하기 위하여 급히 전주에 내려갔다. 무리들과 함께 진안 죽도에 숨어있던 정여립은 군관들이 체포하려 하자 자결하였다.

① 일본과 계해약조를 체결하였다.
② 사림 세력은 동인과 서인으로 나뉘어졌다.
③ 외척 세력인 윤임과 윤원형이 대립하였다.
④ 명의 요청으로 강홍립의 부대를 파병하였다.

8. 다음 시기의 문화 양상에 대한 설명으로 옳은 것은?

> 문익점이 원나라에 갔다가 목화 씨앗을 가지고 돌아와서 정천익에게 부탁하여 심게 하였다. 처음에는 재배 기술을 알지 못하여 거의 다 말라 죽고 한 그루만 살아남았다. 이후 갖은 노력을 기울인 끝에 문익점이 귀국한 지 3년 간에 재배에 성공할 수 있었다.

① 거칠부가 『국사』를 편찬하였다.
② 불국사와 석굴암이 조성되었다.
③ 경천사 10층 석탑이 건립되었다.
④ 화엄사 각황전 등 다층 건물이 세워졌다.

9. 밑줄 친 '이 나라'의 경제 상황으로 옳은 것은?

> 이 나라는 주로 금, 은, 인삼, 나전칠기 등의 물품을 송으로 수출하였고 비단, 약재 등 지배층이 주로 사용하는 물품을 수입하였다. 한편 대식국(아라비아)의 상인도 수은, 향신료 등을 가져와 금이나 비단으로 교환하였다.

① 목화가 전국적으로 재배되었다.
② 2년 3작의 윤작법이 전래되었다.
③ 울산항이 국제 무역항으로 번성하였다.
④ 독점적 도매 상인인 도고가 활동하였다.

10. (가)에 해당되는 정치 기구들에 대한 설명으로 옳지 않은 것은?

> 대관은 관리를 감찰하는 업무를 맡은 관리, 간관은 왕에게 간언을 올리는 관리를 지칭한다. 고려 시대에는 이들을 합쳐 대간이라고 하였다. 그에 반해 조선 시대에는 (가) 이/가 언론의 기능을 담당하여 언관이라고도 하였다.

① 청요직이라고 불렸다.
② 임금의 교지를 작성하였다.
③ 서경 · 간쟁 등의 권한을 행사하였다.
④ 이조전랑은 (가)에 대한 인사권을 행사하였다.

11. 다음 사건에 대한 설명으로 옳은 것은?

> 조선의 친명 정책에 불만을 품고 있던 후금은 광해군을 위하여 보복한다는 명분을 내걸고, 3만여 명의 군대를 이끌고 쳐들어와 평안도 의주 · 정주 · 신천 · 곽산 등지를 거쳐 황해도 평산까지 이르렀다.

① 소현 세자 등이 청나라에 인질로 끌려갔다.
② 이순신이 이끄는 수군이 크게 활약하였다.
③ 이 사건의 결과, 양국은 형제 관계를 맺었다.
④ 태종은 직접 군사를 이끌고 조선을 침략하였다.

12. 밑줄 친 인물에 대한 설명으로 옳은 것은?

> 그의 자(字)는 사능이요, 호(號)는 단원이다. … 산수, 인물, 꽃과 나무, 새와 짐승을 그려 신묘한 경지에 이르지 않은 것이 없었는데, 신선을 그린 것이 가장 뛰어났다. … 도화서 화원으로 있었는데 매양 한 폭씩 올릴 때마다 왕의 마음에 들었다.
>
> –『이향견문록』

① 대동여지도를 만들었다.
② 『인왕제색도』, 『금강전도』를 그렸다.
③ 단아한 글씨의 동국진체를 완성하였다.
④ 농민의 일상 생활을 사실적으로 그렸다.

13. 다음 상소의 원인이 된 조약에 대한 설명으로 옳은 것은?

> 일본이 러시아에 선전포고한 이후 우리의 독립과 영토를 보전한다고 몇 번이나 말하였지만, 그것은 우리나라의 이익을 빼앗아 차지하려는 것이었습니다. … 지금까지 군주의 위치가 아직 바뀌지 않았고 백성도 아직 죽지 않았으며 각국 공사도 아직 돌아가지 않았습니다. 그리고 조약서가 다행히 폐하의 인준과 참정의 인가를 받은 것이 아니니 저들이 가지고 있는 것은 역적들이 억지로 만든 헛된 조약에 불과합니다.

① 이 조약에 따라 대한 제국은 국권을 상실하였다.
② 러 · 일 전쟁 발발 직후에 강제로 체결된 조약이다.
③ 이 조약에 따라 이토 히로부미가 초대 통감으로 부임하였다.
④ 일본은 고종을 퇴위시키고 순종을 즉위시킨 뒤 이 조약을 강요하였다.

14. (가) 단체가 존속된 시기의 역사적 사실로 옳은 것은?

> 조선 민족 운동의 중추 기관이 되려는 사명을 띠고 창립되었던 (가) 이/가 비로소 첫 번째 전체 대회를 개최하였다. 그러나 간신히 열리는 전체 대회에서 해소 문제 토의를 최대 의제로 하게 된 것은 조선의 현 상황이 아니고는 보기 어려운 기현상이다.

① 김상옥이 종로 경찰서에 폭탄을 던졌다.
② 연해주에서 대한 광복군 정부가 수립되었다.
③ 3부 통합 운동의 결과 혁신 의회가 조직되었다.
④ 안창호가 샌프란시스코에서 흥사단을 만들었다.

15. 빈칸에 들어갈 교육 기관에 대한 설명으로 옳은 것은?

> 나는 23살 때 조선에 와서, [　　　] 의 교사가 되어 조선 학생들을 가르쳤소. 고종에게 네덜란드 헤이그에서 열린 만국 평화 회의에 밀사를 파견할 것을 건의했고, 고종의 비밀 특사로 미국을 방문하여 고종의 친서를 전달하고 일본의 침략 저지를 호소했지요.

① 최초로 설립된 여성 교육 기관이다.
② 관민이 합심하여 만든 근대식 사립 학교이다.
③ 현직 관료나 양반 자제들이 주로 입학하였다.
④ 교육 입국 조서의 반포에 따라 세워진 학교이다.

16. (가)~(다)에 들어갈 내용으로 가장 적절치 못한 것은?

> <흥선 대원군의 삼정의 문란을 개혁하기 위한 노력>
> 1. 목적 : 농촌 사회 안정, 국가 재정 확충 도모
> 2. 내용
> ① 전정(전세 징수) : (가)
> ② 군정(군포 징수) : (나)
> ③ 환정(환곡 운영) : (다)

① (가) : 양전 사업을 실시하였다.
② (가) : 토지 대장에서 누락된 땅을 찾아냈다.
③ (나) : 양반에게 군포를 징수하였다.
④ (다) : 당백전이라는 고액 화폐를 발행하였다.

17. (가) 부대에 대한 설명으로 옳은 것은?

> [(가)] 부대의 대원들은 인도 전선에서 온갖 고초를 겪으며 영국군의 작전에 협조하고 있다. 적을 향한 육성 선전, 방송, 전단 살포, 포로 심문 등 여러 부문에서 상당한 성과를 거두었다.

① 총사령관 양세봉이 지휘하였다.
② 조선 의용대의 일부 병력이 합류하였다.
③ 청산리에서 일본군에 맞서 대승을 거두었다.
④ 중국 관내에서 최초로 결성된 무장 독립군 부대이다.

18. 다음 자료를 활용한 탐구 활동으로 가장 적절한 것은?

> 조선인들이 생산한 쌀을 일본으로 반출할 때 결코 자신들이 충분히 소비하고 남은 것을 수출하는 것이 아니다. 생계가 곤란하여 먹을 것을 먹지 못하고 파는 것이다. … 만주산 잡곡의 수입이 증가하는 사실은 조선인의 식량 사정이 점점 어려워지고 있음을 보여준다.

① 화폐 정리 사업의 결과를 분석한다.
② 산미 증식 계획의 실상을 조사한다.
③ 토지 조사 사업의 추진 과정을 파악한다.
④ 국채 보상 운동이 일어난 원인을 알아본다.

19. 다음 인물의 저서로 옳은 것은?

> ○○○은/는 1923년부터 1938년까지 연희 전문 학교에서 한문학과 조선 문학을 가르쳤다. 이익, 정약용 등의 학문이 실증적인 방법으로 연구한 실용적 학문이라 여겨 '실학'으로 규정하였다. 또한, 동아일보에 '오천 년간 조선의 얼'을 연재하여 민족 의식을 고취시켰다.

① 한국통사　　② 조선사연구
③ 을지문덕전　　④ 조선사회경제사

20. 다음 헌법이 적용되었던 시기에 대한 설명으로 옳은 것은?

> 제31조 입법권은 국회가 행한다. 국회는 민의원과 참의원으로써 구성한다.
> 제53조 대통령과 부통령은 국민의 보통, 평등, 직접, 비밀 투표에 의하여 각각 선거한다.

① 민의원 선거에서 자유당이 압승하였다.
② 국회에서 반민족 행위 처벌법이 제정되었다.
③ 대통령에 윤보선, 국무총리에 장면이 선출되었다.
④ 내각 책임제를 골자로 하는 3차 개헌을 추진하였다.

2026 공무원 시험 대비 실전동형 모의고사

한국사

▌제7회▐

응시번호	
성 명	

문제책형 ㉮

제1과목	국어	제2과목	영어	제3과목	한국사
제4과목		제5과목			

응시자 주의사항

1. **시험시작 전 시험문제를 열람하는 행위나 시험종료 후 답안을 작성하는 행위를 한 사람**은 「공무원임용시험령」 제51조에 의거 **부정행위자**로 처리됩니다.
2. **답안지 책형 표기는 시험시작 전** 감독관의 지시에 따라 **문제책 앞면에 인쇄된 문제책형을 확인** 한 후, **답안지 책형란에 해당 책형(1개)**을 '●'로 **표기**하여야 합니다.
3. **답안은 문제책 표지의 과목 순서에 따라 답안지에 인쇄된 순서(제1·2·3·4·5과목)에 맞추어 표기**해야 하며, 과목 순서를 바꾸어 표기한 경우에도 **문제책 표지의 과목 순서대로 채점**되므로 유의하시기 바랍니다.
4. 시험이 시작되면 문제를 주의 깊게 읽은 후, **문항의 취지에 가장 적합한 하나의 정답만을 고르며,** 문제내용에 관한 질문은 할 수 없습니다.
5. 답안지의 모든 기재 및 표기 사항은 **컴퓨터용 흑색 싸인펜을 사용**하며, 반드시 <보기>의 **올바른 표기 방식**으로 답안을 작성해야 합니다.

   <보기> 올바른 표기: ● 잘못된 표기: ⓥ ⊗ ◑ ⊙ ⏀ ◌ ③

6. **답안을 잘못 표기하였을 경우**에는 **답안지를 교체하여 작성**하거나 **수정할 수 있으며,** 표기한 답안을 수정할 때는 **응시자 본인이 가져온 수정테이프만을 사용**하여 해당 부분을 완전히 지우고 부착된 수정테이프가 떨어지지 않도록 손으로 눌러주어야 합니다. **(수정액 또는 수정스티커 등은 사용 불가)**
   - **불량한 수정테이프의 사용과 불완전한 수정처리**로 발생하는 **모든 문제는 응시자 본인에게 책임이 있습니다.**
7. 법령, 고시, 판례 등에 관한 문제는 **2026년 2월 28일 현재 유효한 법령, 고시, 판례 등을 기준**으로 정답을 구해야 합니다. 다만, 개별 과목 또는 문항에서 별도의 기준을 적용하도록 명시한 경우에는 그 기준을 적용하여 정답을 구해야 합니다.
8. **시험시간 관리의 책임은 응시자 본인에게 있습니다.**

   ※ 문제책은 시험종료 후 가지고 갈 수 있습니다.

정답공개 및 가산점 등록 안내

1. 정답공개: 정답가안 4.4.(토) 13:30 / 최종정답 4.13.(월) 18:00 / 사이버국가고시센터
2. 이의제기: 4.4.(토) 18:00 ~ 4.7.(화) 18:00 / 사이버국가고시센터
   - 구체적인 이의제기 방법은 정답가안 공개 시 공지 예정
3. 가산점 등록기간: 4.4.(토) 13:30 ~ 4.6.(월) 21:00
4. 가산점 등록방법: 사이버국가고시센터 ➔ [원서접수 → 가산점 등록/확인]

박문각

한 국 사

1. 일제가 다음 자료를 암송하게 한 시기의 역사적 사실로 옳지 않은 것은?

> <황국 신민의 서사(아동용)>
> 1. 우리는 대일본 제국의 신민입니다.
> 2. 우리는 마음을 합하여 천황 폐하에게 충의를 다합니다.
> 3. 우리는 인고단련 하여 훌륭하고 강한 국민이 되겠습니다.

① 소학교의 명칭을 국민학교로 바꾸었다.
② 임시 정부는 대일 선전 포고를 발표하였다.
③ 나석주가 동양 척식 주식회사에 폭탄을 던졌다.
④ 일제는 공출 제도를 실시하여 놋그릇 등을 빼앗았다.

2. (가) 단체에 대한 설명으로 옳은 것은?

> 이승훈은 1907년 어느 날 평양에 나갔다가 “나라가 없이는 집도 몸도 있을 수 없고, 민족이 천대받을 때에 나 혼자만 영광을 누릴 수는 없소.”라는 안창호의 연설을 듣고 깊이 감명받았다. 그는 안창호의 영향으로 (가) 의 회원으로 활동하면서 자신의 고향 평안북도 정주에 오산 학교를 설립하였다.

① 통감부의 탄압으로 해산되었다.
② 고종 퇴위 반대 운동을 전개하였다.
③ 일본의 황무지 개간 요구를 철회시켰다.
④ 공화정 체제의 국가 건설을 목표로 하였다.

3. 밑줄 친 ‘이 단체’에 대한 설명으로 옳은 것은?

> 당시의 정세로 말하자면, 우리 민족의 독립 사상을 떨치기로 보나 만보산 사건, 만주 사변 같은 것으로 우리 한인에 대해 심히 악화된 중국인의 악감정을 풀기로 보나 무신 새로운 국면을 타개할 필요가 있었다. 그래서 우리 임시 정부에서 회의한 결과 이 단체를 조직하여 암살과 파괴 공작을 하되, 돈이나 사람은 내가 전담하고 다만 그 결과를 정부에 보고하도록 위임을 받았다.
>
> –『백범일지』

① 고종의 복위를 목표로 활동하였다.
② 단원으로 이봉창, 윤봉길 등이 활약하였다.
③ 강우규가 남대문에서 사이토 총독에게 폭탄을 던졌다.
④ 1920년대 국내와 상하이를 중심으로 활발한 의거 활동을 전개하였다.

4. 다음과 같이 주장한 인물에 대한 설명으로 옳은 것은?

> 오늘날 우리 민족 모두가 우리 조상의 피로써 골육을 삼고 우리 조상의 혼으로 영혼을 삼고 있으니 우리 조상은 신성한 교화가 있고 신성한 정법이 있고, 신성한 문사(文事)와 무공이 있으니, 우리 민족이 그 다른 것에서 구함이 옳다고 하겠는가. 무릇 우리 형제는 늘 잊지 말며 형체와 정신을 전멸시키지 말 것을 구구히 바란다.

① 서북학회의 기관지에 많은 논설을 발표하였다.
② 양기탁의 추천으로 제국신문의 주필을 지냈다.
③ 유물 사관에 바탕을 두고 정체성론을 비판하였다.
④ 고대사 연구에 매진하여『조선상고사』를 저술하였다.

5. 밑줄 친 ‘보안회’가 조직된 이후의 사실로 옳은 것은?

> 일제는 대한 제국 전 국토의 약 1/4에 해당하는 황무지 개간권을 일본인에게 위임하라고 요구하였다. 이에 전직 관리와 유생 등은 <u>보안회</u>를 결성하고 연일 집회를 열어 황무지 개간권 반대 운동을 전개하였다.

① 지방관들이 방곡령을 선포하였다.
② 조·청 상민 수륙 무역 장정을 체결하였다.
③ 메가타의 주도로 화폐 정리 사업을 실시하였다.
④ 고종의 지원을 받아 대한 천일 은행이 설립되었다.

6. 다음 역사적 사실들을 순서대로 바르게 나열한 것은?

> ㉠ 이회영 등은 삼원보에 경학사를 만들었다.
> ㉡ 신흥 강습소가 신흥 무관 학교로 개편되었다.
> ㉢ 상하이에서 여운형이 신한 청년당을 조직하였다.
> ㉣ 임시 정부의 직할 부대로 참의부가 성립되었다.

① ㉠-㉡-㉢-㉣　② ㉠-㉢-㉡-㉣
③ ㉢-㉠-㉡-㉣　④ ㉢-㉠-㉣-㉡

7. 밑줄 친 인물이 집권했던 시기에 있었던 사실로 옳지 않은 것은?

> <u>그</u>는 세도 정치의 그늘에서 갖은 수모를 받으면서 생활하였다. 안동 김씨를 비롯한 세도가들에 눌려 살아야 했던 <u>그</u>는 왕실의 허약함을 몸소 체험하였다. 그리하여 <u>그</u>가 정권을 장악한 후에 가장 먼저 추진한 것은 왕실의 권위를 회복하는 일이었다.

① 만동묘를 철폐하였다.
② 호포제를 실시하였다.
③ 무위영과 장어영을 설치하였다.
④ 동학 교주 최제우를 처형하였다.

8. 밑줄 친 '정변' 이후에 전개된 사실로 옳지 않은 것은?

> 박정희를 중심으로 한 일부 군인들이 정변을 일으켜 권력을 장악하였다. 이들은 정변 직후 발표한 이른바 '혁명 공약'에서 반공을 국시의 제일로 내걸었으며, 경제 개발과 사회 안정을 정변의 명분으로 제시하였다. 또한, 자신들이 목표로 한 과업이 달성되면 정권을 이양하고 군대로 복귀할 것을 약속하였다.

① 한·일 협정을 체결하였다.
② 남북 조절 위원회를 설치하였다.
③ 지방 자치제가 전면 실시되었다.
④ 대통령에 윤보선, 국무총리에 장면을 선출하였다.

9. 다음 자료에서 설명하고 있는 비석의 이름은?

> 한반도에 있는 유일한 고구려 비석으로 고구려가 한반도 중부 지역까지 영토를 확장한 뒤에 세운 것이다. 이 비석에는 고구려가 태왕의 나라로 신라가 고구려에 복속된 동이라고 표현되어 있으며, 이를 통해 고구려가 당시 신라를 압박하고 있음을 보여준다.

① 임신서기석 ② 사택지적비
③ 중원 고구려비 ④ 광개토대왕릉비

10. 밑줄 친 '이 나라'에 대한 설명으로 옳은 것은?

> • 이 나라의 형벌은 매우 엄하여 사람을 죽인 사람은 사형에 처하고 그 집안 사람은 노비로 삼는다. 도둑질을 하면 도둑질한 물건의 12배를 변상케 했다.
> • 이 나라는 여름에 사람이 죽으면 모두 얼음을 넣어 장사지내며, 사람을 죽여서 순장을 하는데 많을 때는 백명 가량이나 된다.

① 제정이 분리된 사회였다.
② 영고라는 제천 행사를 지냈다.
③ 혼인 풍속으로 서옥제가 있었다.
④ 호랑이를 신으로 여겨 제사지냈다.

11. 밑줄 친 '왕'에 대한 설명으로 옳은 것은?

> 왕이 명령을 내려 원화를 폐지하였다. 여러 해 뒤에 왕은 다시 나라를 흥하게 하려면 모름지기 풍월도를 먼저 일으켜야 한다고 생각하였다. 왕은 다시 영을 내려 좋은 가문 출신의 남자로서 덕행이 있는 자를 뽑아 명칭을 고쳐서 화랑이라고 하였다. 처음에 설원랑을 받들어 국선으로 삼으니, 이것이 화랑 국선의 시초였다.
> -『삼국유사』

① 우산국을 복속하였다.
② 한강 유역을 차지하였다.
③ 울진 지역을 영토로 편입하였다.
④ 대가야와 결혼 동맹을 체결하였다.

12. (가)와 (나) 사이에 들어갈 역사적 사실로 옳은 것은?

> (가) 웅천주 도독 헌창이 아버지 주원이 왕이 되지 못함을 이유로 반란을 일으켜, 국호를 장안이라 하고 연호를 세워 경운 원년이라 하였다.
> (나) 나라 안의 모든 주군에서 공물과 부세를 보내지 않아 … 왕이 관리를 보내 독촉하니 … 원종, 애노 등이 사벌주를 근거지로 반란을 일으켰다.

① 혜공왕이 살해되었다.
② 완도에 청해진을 설치하였다.
③ 북원소경과 금관소경을 설치하였다.
④ 당나라 연호를 사용하기 시작하였다.

13. 다음 상소문을 수용한 국왕 때의 사실로 옳은 것은?

> 불교를 행하는 것은 수신의 근본이며, 유교를 행하는 것은 치국의 근원이니, 수신은 내생을 위한 것이며, 치국은 곧 오늘의 일입니다. 오늘은 지극히 가깝고 내생은 지극히 먼 것인데, 가까움을 버리고 지극히 먼 것을 구함은 또한 잘못이 아니겠습니까?

① 송나라와 외교 관계를 맺었다.
② 청천강 유역까지 영토를 넓혔다.
③ 준홍, 왕동 등 공신을 숙청하였다.
④ 2성 6부제를 토대로 중앙 통치 조직을 정비하였다.

14. 고려의 지방 제도에 대한 설명으로 옳은 것을 모두 고르면?

> ㉠ 도 아래에는 부, 목, 군, 현을 두었다.
> ㉡ 일반 행정 구역에는 병마사를 파견하였다.
> ㉢ 북쪽 국경 지역에는 동계와 북계를 두었다.
> ㉣ 주현보다 지방관이 파견되지 않은 속현이 더 많았다.

① ㉠, ㉡ ② ㉡, ㉣
③ ㉢, ㉣ ④ ㉠, ㉢, ㉣

15. 다음 ㉠ 인물의 재위 기간에 있었던 사실로 옳은 것은?

> ㉠ 이/가 이끄는 토벌군이 남원에 도착하니 왜구는 인월역에 있다고 하였다. 운봉을 넘어온 ㉠ 은/는 적장 가운데 나이가 어리고 용맹한 아지바투를 사살하는 등 선두에 나서 전투를 독려하여 아군보다 10배나 많은 적군을 섬멸했다.

① 박위를 보내 쓰시마를 정벌하였다.
② 원나라의 일본 원정에 동원되었다.
③ 최무선의 건의로 화통도감을 설치하였다.
④ 천문도인 천상열차분야지도를 제작하였다.

16. 천주교의 전래 과정에서 일어난 사건들을 순서대로 바르게 나열한 것은?

> ㉠ 황사영 백서 사건
> ㉡ 김대건 신부 처형
> ㉢ 윤지충 신주 소각 사건
> ㉣ 『지봉유설』에서 천주교 소개

① ㉠-㉡-㉢-㉣　② ㉣-㉠-㉡-㉢
③ ㉣-㉢-㉠-㉡　④ ㉣-㉢-㉡-㉠

17. 밑줄 친 인물에 대한 설명으로 옳은 것은?

> 내가 일찍이 송도에 있을 때 의정부를 없애자는 의논이 있었으나, 지금까지 겨를이 없었다. … 지난번에 좌정승이 말하기를 "중국의 왕조에도 또한 승상부가 없으니, 마땅히 정부를 혁파해야 한다."고 하였다. 내가 골똘히 생각해 보니, 모든 일이 내 한 몸에 모이면 진실로 재결하기가 어렵겠으나, 그러나 이미 나라의 임금이 되어서 어찌 노고스러움을 피하겠느냐?

① 관찬 법전인 『경제육전』을 편찬하였다.
② 사간원을 독립시켜 신권을 견제하였다.
③ 4군 6진을 설치하여 국경선을 확대하였다.
④ 홍문관을 두어 집현전을 계승하게 하였다.

18. 밑줄 친 인물이 중심이 되어 형성된 붕당에 대한 설명으로 옳은 것은?

> 선조 때의 이조전랑 김효원은 왕실의 외척이라는 이유로 심의겸의 동생인 심충겸이 자신의 후임자가 되는 것을 반대하였다.

① 인조반정으로 주도권을 잡았다.
② 광해군의 중립 외교를 지지하였다.
③ 이이와 성혼의 문인이 가담하였다.
④ 신진 사림을 중심으로 개혁에 적극적이었다.

19. 다음 시기에 집권했던 국왕 때의 일로 옳지 않은 것은?

> 오라총관 목극등이 … 국경을 정하기 위하여 백두산에 이르렀다. 우리나라에서는 접반사 박권, 함경도 순찰사 이선부, 역관 김경문 등을 보내어 응접하게 하였다.

① 일종의 예비군인 잡색군을 설치하였다.
② 황해도를 중심으로 장길산이 난을 일으켰다.
③ 상평통보를 법화로 제정하고 전국으로 유통시켰다.
④ 이순신에게 현충이라는 시호를 내리고, 강감찬 사당을 건립하였다.

20. 밑줄 친 '이 법'에 대한 설명으로 옳은 것은?

> 이 법의 실시에 따라 양반 지주의 부담이 증가했으며, 토지가 없는 농민의 부담은 감소하였다. 또한, 공인이 등장하여 활발히 활동함에 따라 상품 화폐 경제가 크게 발전할 수 있었다.

① 토지 1결당 쌀 12두를 거두었다.
② 토지 소유자에게 결작을 부과하였다.
③ 군역의 폐단을 바로잡기 위해 실시하였다.
④ 관리와 지방의 촌민에 이르기까지 18만 명의 의견을 반영하였다.

8. 밑줄 친 '정변' 이후에 전개된 사실로 옳지 않은 것은?

> 박정희를 중심으로 한 일부 군인들이 정변을 일으켜 권력을 장악하였다. 이들은 정변 직후 발표한 이른바 '혁명 공약'에서 반공을 국시의 제일로 내걸었으며, 경제 개발과 사회 안정을 정변의 명분으로 제시하였다. 또한, 자신들이 목표로 한 과업이 달성되면 정권을 이양하고 군대로 복귀할 것을 약속하였다.

① 한 · 일 협정을 체결하였다.
② 남북 조절 위원회를 설치하였다.
③ 지방 자치제가 전면 실시되었다.
④ 대통령에 윤보선, 국무총리에 장면을 선출하였다.

9. 다음 자료에서 설명하고 있는 비석의 이름은?

> 한반도에 있는 유일한 고구려 비석으로 고구려가 한반도 중부 지역까지 영토를 확장한 뒤에 세운 것이다. 이 비석에는 고구려가 태왕의 나라로 신라가 고구려에 복속된 동이라고 표현되어 있으며, 이를 통해 고구려가 당시 신라를 압박하고 있음을 보여준다.

① 임신서기석 ② 사택지적비
③ 중원 고구려비 ④ 광개토대왕릉비

10. 밑줄 친 '이 나라'에 대한 설명으로 옳은 것은?

> • 이 나라의 형벌은 매우 엄하여 사람을 죽인 사람은 사형에 처하고 그 집안 사람은 노비로 삼는다. 도둑질을 하면 도둑질한 물건의 12배를 변상케 했다.
> • 이 나라는 여름에 사람이 죽으면 모두 얼음을 넣어 장사지내며, 사람을 죽여서 순장을 하는데 많을 때는 백명 가량이나 된다.

① 제정이 분리된 사회였다.
② 영고라는 제천 행사를 지냈다.
③ 혼인 풍속으로 서옥제가 있었다.
④ 호랑이를 신으로 여겨 제사지냈다.

11. 밑줄 친 '왕'에 대한 설명으로 옳은 것은?

> 왕이 명령을 내려 원화를 폐지하였다. 여러 해 뒤에 왕은 다시 나라를 흥하게 하려면 모름지기 풍월도를 먼저 일으켜야 한다고 생각하였다. 왕은 다시 영을 내려 좋은 가문 출신의 남자로서 덕행이 있는 자를 뽑아 명칭을 고쳐서 화랑이라고 하였다. 처음에 설원랑을 받들어 국선으로 삼으니, 이것이 화랑 국선의 시초였다.
> －『삼국유사』

① 우산국을 복속하였다.
② 한강 유역을 차지하였다.
③ 울진 지역을 영토로 편입하였다.
④ 대가야와 결혼 동맹을 체결하였다.

12. (가)와 (나) 사이에 들어갈 역사적 사실로 옳은 것은?

> (가) 웅천주 도독 헌창이 아버지 주원이 왕이 되지 못함을 이유로 반란을 일으켜, 국호를 장안이라 하고 연호를 세워 경운 원년이라 하였다.
> (나) 나라 안의 모든 주군에서 공물과 부세를 보내지 않아 … 왕이 관리를 보내 독촉하니 … 원종, 애노 등이 사벌주를 근거지로 반란을 일으켰다.

① 혜공왕이 살해되었다.
② 완도에 청해진을 설치하였다.
③ 북원소경과 금관소경을 설치하였다.
④ 당나라 연호를 사용하기 시작하였다.

13. 다음 상소문을 수용한 국왕 때의 사실로 옳은 것은?

> 불교를 행하는 것은 수신의 근본이며, 유교를 행하는 것은 치국의 근원이니, 수신은 내생을 위한 것이며, 치국은 곧 오늘의 일입니다. 오늘은 지극히 가깝고 내생은 지극히 먼 것인데, 가까움을 버리고 지극히 먼 것을 구함은 또한 잘못이 아니겠습니까?

① 송나라와 외교 관계를 맺었다.
② 청천강 유역까지 영토를 넓혔다.
③ 준홍, 왕동 등 공신을 숙청하였다.
④ 2성 6부제를 토대로 중앙 통치 조직을 정비하였다.

14. 고려의 지방 제도에 대한 설명으로 옳은 것을 모두 고르면?

> ㉠ 도 아래에는 부, 목, 군, 현을 두었다.
> ㉡ 일반 행정 구역에는 병마사를 파견하였다.
> ㉢ 북쪽 국경 지역에는 동계와 북계를 두었다.
> ㉣ 주현보다 지방관이 파견되지 않은 속현이 더 많았다.

① ㉠, ㉡ ② ㉡, ㉣
③ ㉢, ㉣ ④ ㉠, ㉢, ㉣

15. 다음 ㉠ 인물의 재위 기간에 있었던 사실로 옳은 것은?

> [㉠]이/가 이끄는 토벌군이 남원에 도착하니 왜구는 인월역에 있다고 하였다. 운봉을 넘어온 [㉠]은/는 적장 가운데 나이가 어리고 용맹한 아지바투를 사살하는 등 선두에 나서 전투를 독려하여 아군보다 10배나 많은 적군을 섬멸했다.

① 박위를 보내 쓰시마를 정벌하였다.
② 원나라의 일본 원정에 동원되었다.
③ 최무선의 건의로 화통도감을 설치하였다.
④ 천문도인 천상열차분야지도를 제작하였다.

16. 천주교의 전래 과정에서 일어난 사건들을 순서대로 바르게 나열한 것은?

> ㉠ 황사영 백서 사건
> ㉡ 김대건 신부 처형
> ㉢ 윤지충 신주 소각 사건
> ㉣ 『지봉유설』에서 천주교 소개

① ㉠-㉡-㉢-㉣　② ㉣-㉠-㉡-㉢
③ ㉣-㉢-㉠-㉡　④ ㉣-㉢-㉡-㉠

17. 밑줄 친 인물에 대한 설명으로 옳은 것은?

> 내가 일찍이 송도에 있을 때 의정부를 없애자는 의논이 있었으나, 지금까지 겨를이 없었다. … 지난번에 좌정승이 말하기를 "중국의 왕조에도 또한 승상부가 없으니, 마땅히 정부를 혁파해야 한다."고 하였다. 내가 골똘히 생각해 보니, 모든 일이 내 한 몸에 모이면 진실로 재결하기가 어렵겠으나, 그러나 이미 나라의 임금이 되어서 어찌 노고스러움을 피하겠느냐?

① 관찬 법전인 『경제육전』을 편찬하였다.
② 사간원을 독립시켜 신권을 견제하였다.
③ 4군 6진을 설치하여 국경선을 확대하였다.
④ 홍문관을 두어 집현전을 계승하게 하였다.

18. 밑줄 친 인물이 중심이 되어 형성된 붕당에 대한 설명으로 옳은 것은?

> 선조 때의 이조전랑 김효원은 왕실의 외척이라는 이유로 심의겸의 동생인 심충겸이 자신의 후임자가 되는 것을 반대하였다.

① 인조반정으로 주도권을 잡았다.
② 광해군의 중립 외교를 지지하였다.
③ 이이와 성혼의 문인이 가담하였다.
④ 신진 사림을 중심으로 개혁에 적극적이었다.

19. 다음 시기에 집권했던 국왕 때의 일로 옳지 않은 것은?

> 오라총관 목극등이 … 국경을 정하기 위하여 백두산에 이르렀다. 우리나라에서는 접반사 박권, 함경도 순찰사 이선부, 역관 김경문 등을 보내어 응접하게 하였다.

① 일종의 예비군인 잡색군을 설치하였다.
② 황해도를 중심으로 장길산이 난을 일으켰다.
③ 상평통보를 법화로 제정하고 전국으로 유통시켰다.
④ 이순신에게 현충이라는 시호를 내리고, 강감찬 사당을 건립하였다.

20. 밑줄 친 '이 법'에 대한 설명으로 옳은 것은?

> 이 법의 실시에 따라 양반 지주의 부담이 증가했으며, 토지가 없는 농민의 부담은 감소하였다. 또한, 공인이 등장하여 활발히 활동함에 따라 상품 화폐 경제가 크게 발전할 수 있었다.

① 토지 1결당 쌀 12두를 거두었다.
② 토지 소유자에게 결작을 부과하였다.
③ 군역의 폐단을 바로잡기 위해 실시하였다.
④ 관리와 지방의 촌민에 이르기까지 18만 명의 의견을 반영하였다.

2026 공무원 시험 대비 실전동형 모의고사

한국사

▌제8회 ▌

응시번호	
성 명	

문제책형

㉮

제1과목	국어	제2과목	영어	제3과목	한국사
제4과목		제5과목			

응시자 주의사항

1. **시험시작 전 시험문제를 열람하는 행위나 시험종료 후 답안을 작성하는 행위를 한 사람**은 「공무원임용시험령」 제51조에 의거 **부정행위자**로 처리됩니다.
2. **답안지 책형 표기는 시험시작 전** 감독관의 지시에 따라 **문제책 앞면에 인쇄된 문제책형을 확인** 한 후, **답안지 책형란에 해당 책형(1개)**을 '●'로 **표기**하여야 합니다.
3. **답안은 문제책 표지의 과목 순서에 따라 답안지에 인쇄된 순서(제1·2·3·4·5과목)에 맞추어 표기**해야 하며, 과목 순서를 바꾸어 표기한 경우에도 **문제책 표지의 과목 순서대로 채점**되므로 유의하시기 바랍니다.
4. 시험이 시작되면 문제를 주의 깊게 읽은 후, **문항의 취지에 가장 적합한 하나의 정답만을 고르며,** 문제내용에 관한 질문은 할 수 없습니다.
5. 답안지의 모든 기재 및 표기 사항은 **컴퓨터용 흑색 싸인펜을 사용**하며, 반드시 <보기>의 **올바른 표기 방식**으로 답안을 작성해야 합니다.

   <보기> 올바른 표기: ● 잘못된 표기: ⓥ ⊗ ◑ ⊙ ⦶ ◌ ③

6. **답안을 잘못 표기하였을 경우**에는 **답안지를 교체하여 작성**하거나 **수정할 수 있으며,** 표기한 답안을 수정할 때는 **응시자 본인이 가져온 수정테이프만을 사용**하여 해당 부분을 완전히 지우고 부착된 수정테이프가 떨어지지 않도록 손으로 눌러주어야 합니다. **(수정액 또는 수정스티커 등은 사용 불가)**
   - **불량한 수정테이프의 사용과 불완전한 수정처리**로 발생하는 **모든 문제는 응시자 본인에게 책임이 있습니다.**
7. 법령, 고시, 판례 등에 관한 문제는 **2026년 2월 28일 현재 유효한 법령, 고시, 판례 등을 기준**으로 정답을 구해야 합니다. 다만, 개별 과목 또는 문항에서 별도의 기준을 적용하도록 명시한 경우에는 그 기준을 적용하여 정답을 구해야 합니다.
8. **시험시간 관리의 책임은 응시자 본인에게 있습니다.**

   ※ 문제책은 시험종료 후 가지고 갈 수 있습니다.

정답공개 및 가산점 등록 안내

1. 정답공개: 정답가안 4.4.(토) 13:30 / 최종정답 4.13.(월) 18:00 / 사이버국가고시센터
2. 이의제기: 4.4.(토) 18:00 ~ 4.7.(화) 18:00 / 사이버국가고시센터
   - 구체적인 이의제기 방법은 정답가안 공개 시 공지 예정
3. 가산점 등록기간: 4.4.(토) 13:30 ~ 4.6.(월) 21:00
4. 가산점 등록방법: 사이버국가고시센터 ➜ [원서접수 → 가산점 등록/확인]

박문각

한 국 사

1. 다음 개혁안들을 시대순으로 바르게 나열한 것은?

> ㉠ 일체의 국가 재정은 호조에서 관할하였다.
> ㉡ 태양력을 채용하고 우편 사무를 재개하였다.
> ㉢ 세금을 화폐로 내게 하고 도량형을 통일하였다.
> ㉣ 내장원에서 광산, 철도, 홍삼 등의 수입을 관리하였다.

① ㉠-㉡-㉢-㉣　② ㉠-㉢-㉡-㉣
③ ㉢-㉠-㉡-㉣　④ ㉢-㉣-㉠-㉡

2. 다음 조약과 관련된 내용으로 옳은 것은?

> 제1조 동양의 평화를 확립하기 위하여 대한 제국 정부는 일본 제국 정부를 확신하고 시정 개선에 관하여 그 충고를 들을 것
> 제3조 대일본 제국 정부는 대한 제국의 독립과 영토 보전을 확실히 보증할 것

① 외교와 재정 분야 등에 외국인 고문을 두었다.
② 일본은 군사상 필요한 지역을 마음대로 점령하였다.
③ 외교에 관한 사항을 관리하기 위해 통감부를 설치하였다.
④ 주변 열강에게 한국 지배를 독점적으로 인정받은 후 체결하였다.

3. (가)~(다)에 들어갈 말이 적절하게 짝지어진 것은?

> 1930년대 남만주에서는 [(가)]이 이끄는 조선 혁명군이 중국 의용군과 연합하여 영릉가 전투에서 일본군을 크게 격파하였다. 북만주에서는 [(나)]의 한국 독립군이 쌍성보 전투에서 일본군을 격퇴하였다. 이후 한국 독립군은 [(다)]의 요청으로 중국 본토로 이동하였다.

	(가)	(나)	(다)
①	지청천	양세봉	한국 광복군
②	지청천	양세봉	임시 정부
③	양세봉	지청천	임시 정부
④	양세봉	지청천	한국 광복군

4. 다음은 어느 민족 운동의 원인과 의의를 정리한 것이다. 이 운동과 관련된 내용으로 옳은 것은?

> • 원인: 한국인 학생에 대한 민족 차별과 식민지 교육
> • 의의: 3·1 운동 이후 국내 최대 규모의 민족 운동

① 광주에서 시작되어 전국으로 확산되었다.
② 대중화, 일원화, 비폭력의 시위 원칙을 정하였다.
③ 사전에 발각되어 조선 공산당 간부들이 체포되었다.
④ 고종의 독살 소문이 퍼지면서 한국인들의 분노가 커졌다.

5. 다음 (가)에 들어갈 종교에 대한 설명으로 옳은 것은?

> 공의 이름은 인영인데, 뒤에 철로 고쳤다. … 보호 조약이 체결된 뒤에 동지와 함께 오적(五賊)의 처단을 모의하였는데 … 뒤에 [(가)]을/를 제창하고 교주를 자임했는데 … 북간도에 가서 그의 무리와 함께 발전을 도모하였다.

① 배재 학당을 세워 신학문을 보급하였다.
② 단군 신앙을 기반으로 만들어진 종교였다.
③ 『개벽』, 『어린이』 등의 잡지를 발행하였다.
④ 프랑스와 수교한 이후 신앙의 자유를 누렸다.

6. 밑줄 친 '이 전쟁' 중에 있었던 역사적 사실로 옳지 않은 것은?

> "보슬비가 소리도 없이 이별 슬픈 부산 정거장 … 한많은 피난살이 설움도 많아 …"라는 애절한 가사의 '이별의 부산 정거장'은 이 전쟁의 정전 협정이 체결된 다음해에 발표된 노래로, 낯선 부산에서의 피난살이를 마치고 서울로 떠나는 피난민의 심정을 묘사했습니다.

① 발췌 개헌안이 통과되었다.
② 인천 상륙 작전을 성공하였다.
③ 부산에서 자유당을 창당하였다.
④ 국회에서 이승만이 대통령으로 선출되었다.

7. 다음 취임사를 발표한 정부 때의 일로 옳은 것은?

> 오늘 우리는 그렇게도 애타게 바라던 문민 민주주의의 시대를 열기 위하여 이 자리에 모였습니다. … 이제 민족 진운의 새봄이 열리고 있습니다. 우리에게 새로운 결단, 새로운 출발을 요구하고 있습니다. 저는 신한국 창조의 꿈을 가슴 깊이 품고 있습니다.

① 경제 협력 개발 기구(OECD)에 가입하였다.
② 유화 정책의 일환으로 통행금지가 해제되었다.
③ 서울대생 박종철이 고문으로 사망한 사건이 일어났다.
④ 남북 정상 회담이 개최되었고, 금강산 관광이 시작되었다.

8. 밑줄 친 '이 법령'과 관련된 내용으로 옳은 것은?

> 제헌 국회와 대한민국 정부의 연구, 검토를 거쳐 국회 제21차 본회의에서 이 법령이 통과되었다. 이에 따른 개혁의 취지는 경작 농민이 직접 농지를 소유함으로써 농지 집중의 폐해를 제거하자는 것이다.

① 농지 이외의 임야도 포함되었다.
② 무상 매수, 무상 분배의 방식으로 실시되었다.
③ 3정보 이하 농지는 매수 대상에서 제외하였다.
④ 귀속 농지 분배를 위해 신한 공사를 설치하였다.

9. 다음 사건 이후에 전개된 역사적 사실로 옳지 않은 것은?

> 노관이 한나라를 배반하고 흉노로 들어가자, 연나라 사람 위만도 망명하여 호복(胡服)을 하고 동쪽의 패수를 건너 준왕에게 나아가 투항하였다. … 위만은 망명자의 무리를 꾀어내어 무리가 점차 많아지자 … 마침내 준왕을 공격하였다. 준왕은 위만과 싸웠지만 상대가 되지 못하였다.

① 한나라의 침략을 받았다.
② 연나라 장수 진개가 침략하였다.
③ 철기 문화를 본격적으로 수용하였다.
④ 중계 무역을 통해 경제적 이익을 얻었다.

10. 밑줄 친 '그'의 재위 기간에 있었던 사실로 옳은 것은?

> 그는 승려 도림을 몰래 보내 백제 왕을 설득하여 궁궐과 누각을 화려하게 만들게 하여 국력을 피폐하게 하였다. 이어 그는 군사 3만 명을 거느리고 백제의 수도 한성을 정벌하여 백제의 왕을 죽이니, 이로부터 거의 10년 동안 두 나라 사이에 전쟁이 그치지 않았다.

① 영토를 확장하여 옥저를 정복하였다.
② 전연과 백제의 공격을 받아 위기를 맞았다.
③ 중국의 남조, 북조와 각각 우호 관계를 맺었다.
④ 내물왕의 요청에 따라 신라에 침입한 왜를 격퇴하였다.

11. 밑줄 친 '이 나라'에 대한 설명으로 옳지 않은 것은?

> 이 나라는 고구려 문화를 계승하면서 당 문화를 받아들여 독자적인 문화를 이루었다. 수도 상경은 당의 수도 장안성을 본떠 만들었고, 굴식 돌방무덤과 온돌 장치 등은 고구려의 전통을 이은 것이다.

① 주자감에서 유학을 교육하였다.
② 지방의 요충지에 5소경을 설치하였다.
③ 왕 아래 정당성, 선조성, 중대성을 두었다.
④ 군사 조직은 10위를 중심으로 편성하였다.

12. (가)와 (나) 사이에 들어갈 역사적 사실로 옳은 것은?

> (가) 당나라와 신라의 군사들이 의자의 도성을 에워싸기 위하여 소부리 벌판으로 나갔다. … 의자왕의 아들인 융이 대좌평 천복 등과 함께 나와서 항복하였다.
> (나) 당나라 이근행이 군사 200,000명을 이끌고 매소성에 머물렀다. 우리 군사가 공격하여 달아나게 하고 말 30,380필을 얻었는데, 남겨놓은 병장기도 그 정도 되었다.

① 을지문덕이 활약하였다.
② 김춘추가 왕으로 즉위하였다.
③ 평양성이 함락되고 보장왕이 항복하였다.
④ 신라가 기벌포에서 당의 수군을 섬멸하였다.

13. 다음 자료와 관련 있는 국왕에 대한 설명으로 옳은 것은?

> 사원은 모두 도선의 의견에 의하여 국내 산천의 좋고 나쁜 것을 가려서 창건한 것이다. 신라 말에 사원들을 야단스럽게 세워서 지덕을 훼손하였고, 나라가 멸망하였으니 어찌 경계할 일이 아니겠는가?

① 국호를 마진, 태봉으로 바꾸었다.
② 제위보를 설치하여 빈민을 구제하였다.
③ 최승로 등 신라 출신의 유학자들을 중용하였다.
④ 혼인 정책과 사성 정책을 통해 호족을 포섭하였다.

14. 제시된 자료의 (가)와 관련된 사실로 옳은 것은?

> (가) 의 군주가 크게 군사를 일으켜 정벌하러 오자 왕이 남쪽으로 피란하였는데, (가) 의 군대는 여전히 송악성에 주둔하고 물러가지 않았습니다. … 대장경판을 새겨서 완성할 것을 맹세한 뒤에야 적의 군대가 스스로 물러갔습니다. -『동국이상국집』

① 고려에 군신 관계를 요구하였다.
② 고려는 강화도로 도읍을 옮겼다.
③ 외교 담판으로 강동 6주를 획득하였다.
④ 이성계 등 신흥 무인 세력이 성장하였다.

15. 밑줄 친 '성상'에 대한 설명으로 옳은 것은?

> 책이 완성되자 나누어 6권으로 만들어 바치니, 『경국대전』이라 이름 지으셨다. 형전과 호전은 이미 반포하여 시행되었으나 나머지 4전은 미처 교정을 못하였는데 갑자기 승하하시니 성상께서 선왕의 뜻을 이어 받들어 마침내 하던 일을 끝마치게 하고 중외에 반포하였다.

① 공법을 제정하였다.
② 유향소를 부활하였다.
③ 장영실 등 인재를 중용하였다.
④ 계유정난을 일으켜 정권을 장악하였다.

16. 다음 주장이 제기된 시기의 정치 상황으로 가장 적절한 것은?

> 대신들 뜻이 모두 국조 전례에 자식을 위하여 3년복을 입는 제도는 없고 고례(古禮)로 하더라도 명명백백하게 밝혀 놓지 않았기 때문에, … 차라리 국조 전례를 그대로 따르는 것이 좋다고 하였습니다. 그리하여 신도 다른 소견 없이 드디어 기년제로 정했던 것입니다.

① 정인홍 등 북인이 집권하였다.
② 중종반정이 일어나 연산군이 폐위되었다.
③ 황희, 맹사성, 유관 등 유능한 재상이 활약하였다.
④ 왕위 계승에 대한 정통성을 두고 서인과 남인이 대립하였다.

17. 다음 (가), (나)에 대한 설명으로 옳지 않은 것은?

> 각 도에 교사를 보내 삼수기법을 훈련시키고 초군을 배치하였다. 앞서 서울에는 (가) 을/를 설치하여 군사를 모집해서 포수, 사수, 살수로 나누어 훈련시켰다. 이때에 이르러 지방에도 (나) 을/를 설치했는데, 신분을 막론하고 장정을 선발하여 정원을 채웠다.

① (가) – 척계광의 『기효신서』를 참고하였다.
② (나) – 유성룡의 건의에 따라 설치되었다.
③ (가) – 임진왜란을 계기로 최고 기구가 되었다.
④ (나) – 위로는 양반으로부터 아래로는 노비까지 편제되었다.

18. 다음 시기의 사회 모습에 대한 설명으로 옳은 것은?

> 이 시기에는 동전의 발행량이 상당히 늘어났는데도 제대로 유통되지 않아 시중에서 동전 부족 현상(전황)이 나타났다. 이는 지주나 대상인들이 화폐를 고리대나 재산 축적에 이용하였기 때문이었다.

① 전염병이 발생하면 구제도감을 설치하였다.
② 향회가 수령의 부세 자문 기구로 변질되었다.
③ 여성의 재가는 비교적 자유롭게 이루어졌다.
④ 불교의 신앙 조직인 향도가 널리 확산되었다.

19. 다음과 관련된 학문에 대한 설명으로 옳은 것은?

> 본래 사람의 생리 속에는 밝게 깨닫는 능력이 있기 때문에 스스로 두루 잘 통해서 어둡지 않게 된다. … 이것이 본래 가지고 있는 덕이며, 이른바 양지(良知)라고 하는 것이니, 또한 인(仁)이라고도 한다. –『하곡집』

① 성리학적 질서를 절대적 가치로 내세웠다.
② 유·불·선 3교의 장점을 채택하여 만들어졌다.
③ 기의 차별성을 강조하여, 청을 오랑캐로 보았다.
④ 정제두가 체계적으로 연구하여 학파를 형성하였다.

20. 다음 일화와 관련있는 승려에 대한 설명으로 옳은 것은?

> 그는 당나라 유학길을 가던 도중에 무덤 사이에서 잠이 들었다. 심한 갈증을 느껴 어둠 속에서 물을 마셨는데, 물맛이 좋고 시원하였다. 하지만 날이 밝고 보니 그것은 해골에 고인 물이었다. 이때 그는 홀연히 모든 것은 마음에 달려있다는 깨달음을 얻어 다시 돌아왔다.

① 「화엄일승법계도」를 저술하였다.
② 선덕 여왕 때 대국통으로 임명되었다.
③ 아미타 신앙을 대중에게 직접 전도하였다.
④ 인도에 들어가 각지를 순례하고 돌아왔다.

2026 공무원 시험 대비 실전동형 모의고사

한국사

▌제9회 ▌

응시번호	
성 명	

문제책형
㉮

제1과목	국어	제2과목	영어	제3과목	한국사
제4과목		제5과목			

응시자 주의사항

1. **시험시작 전 시험문제를 열람하는 행위나 시험종료 후 답안을 작성하는 행위를 한 사람**은 「공무원임용시험령」 제51조에 의거 **부정행위자**로 처리됩니다.
2. **답안지 책형 표기는 시험시작 전** 감독관의 지시에 따라 **문제책 앞면에 인쇄된 문제책형을 확인** 한 후, **답안지 책형란에 해당 책형(1개)**을 '●'로 **표기**하여야 합니다.
3. **답안은 문제책 표지의 과목 순서에 따라 답안지에 인쇄된 순서(제1·2·3·4·5과목)에 맞추어 표기**해야 하며, 과목 순서를 바꾸어 표기한 경우에도 **문제책 표지의 과목 순서대로 채점**되므로 유의하시기 바랍니다.
4. 시험이 시작되면 문제를 주의 깊게 읽은 후, **문항의 취지에 가장 적합한 하나의 정답만을 고르며**, 문제내용에 관한 질문은 할 수 없습니다.
5. 답안지의 모든 기재 및 표기 사항은 **컴퓨터용 흑색 싸인펜을 사용**하며, 반드시 <보기>의 **올바른 표기 방식**으로 답안을 작성해야 합니다.

   <보기> 올바른 표기: ● 잘못된 표기: ⓥ ⊗ ◑ ⊙ ⏀ ◌ ③

6. **답안을 잘못 표기하였을 경우**에는 **답안지를 교체하여 작성**하거나 **수정할 수 있으며**, 표기한 답안을 수정할 때는 **응시자 본인이 가져온 수정테이프만을 사용**하여 해당 부분을 완전히 지우고 부착된 수정테이프가 떨어지지 않도록 손으로 눌러주어야 합니다. **(수정액 또는 수정스티커 등은 사용 불가)**
   - **불량한 수정테이프의 사용과 불완전한 수정처리**로 발생하는 **모든 문제는 응시자 본인에게 책임이 있습니다.**
7. 법령, 고시, 판례 등에 관한 문제는 **2026년 2월 28일 현재 유효한 법령, 고시, 판례 등을 기준**으로 정답을 구해야 합니다. 다만, 개별 과목 또는 문항에서 별도의 기준을 적용하도록 명시한 경우에는 그 기준을 적용하여 정답을 구해야 합니다.
8. **시험시간 관리의 책임은 응시자 본인에게 있습니다.**

   ※ 문제책은 시험종료 후 가지고 갈 수 있습니다.

정답공개 및 가산점 등록 안내

1. 정답공개: 정답가안 4.4.(토) 13:30 / 최종정답 4.13.(월) 18:00 / 사이버국가고시센터
2. 이의제기: 4.4.(토) 18:00 ~ 4.7.(화) 18:00 / 사이버국가고시센터
   - 구체적인 이의제기 방법은 정답가안 공개 시 공지 예정
3. 가산점 등록기간: 4.4.(토) 13:30 ~ 4.6.(월) 21:00
4. 가산점 등록방법: 사이버국가고시센터 ➜ [원서접수 → 가산점 등록/확인]

한 국 사

1. 밑줄 친 '이 시대'에 대한 설명으로 옳은 것은?

> 이 시대의 사람들은 무리를 지어 생활하였으며, 열매를 채집하거나 뼈 도구와 뗀석기를 사용하여 짐승을 사냥하였다.

① 주로 동굴이나 바위 그늘에 살았다.
② 빗살무늬 토기를 만들어 사용하였다.
③ 사유 재산이 생기고 계급이 발생하였다.
④ 목책과 환호로 외부 침입에 대비하였다.

2. 밑줄 친 인물에 대한 설명으로 가장 적절한 것은?

> 여융(餘隆)이 사신을 보내 표문을 올려 말하기를, "여러 차례 고구려를 물리쳤습니다."라고 하였다. 도성을 고마라 하였으며, 읍을 담로라 하였다. 담로는 중국 말의 군현과 같은 것이다.
> －『양직공도』

① 신라 이벌찬 비지의 딸을 왕비로 맞이하였다.
② 중국 남조의 양나라와 외교 관계를 강화하였다.
③ 22부의 중앙 관청을 두고, 관등제를 재정비하였다.
④ 탐라국이 공납을 바치지 않자 군대를 보내 복속시켰다.

3. 밑줄 친 '국왕'에 대한 설명으로 옳은 것은?

> 국왕이 당에 반란을 일으킨 고구려의 무리를 받아들이고, 또한 백제의 옛 땅을 차지하고서 사람을 시켜 지키게 하니, 당 고종이 크게 화를 내어 조서를 내려 임금의 관작을 깎아 없앴다. 그리고 당의 서울에 있던 국왕의 동생 김인문을 신라왕으로 삼아 귀국하게 하고 병사를 일으켜 토벌해왔다.

① 14부의 중앙 통치 조직을 완성하였다.
② 개국, 대창 등의 독자적 연호를 사용하였다.
③ 당나라 고종을 칭송하는 '오언태평송'을 지었다.
④ 백제 부흥 운동의 본거지인 주류성을 함락하였다.

4. 다음 가계도에서 설명하고 있는 국왕의 업적으로 옳은 것은?

> 태조 왕건의 아들이며, 어머니는 신명순성왕후 유씨이다. 3대 국왕인 정종의 동생으로, 두 사람은 같은 어머니에게서 태어난 형제 사이이다. 원래의 이름은 왕소(王昭)이다. 배우자는 대목왕후와 경화궁부인이다.

① 관리의 공복을 제정하였다.
② 문무산계를 정식으로 채택하였다.
③ 최초로 철전인 건원중보를 제작하였다.
④ 호장, 부호장과 같은 향리직제를 마련하였다.

5. 다음 역사적 사실들을 순서대로 바르게 나열한 것은?

> ㉠ 서경 유수 조위총이 반란을 일으켰다.
> ㉡ 사병 집단인 도방이 처음 설치되었다.
> ㉢ 교정도감을 설치하여 반대 세력을 제거하였다.
> ㉣ 의종이 폐위되고, 의종의 동생(명종)이 왕이 되었다.

① ㉠-㉡-㉢-㉣ ② ㉠-㉣-㉡-㉢
③ ㉣-㉠-㉡-㉢ ④ ㉣-㉡-㉠-㉢

6. 밑줄 친 '왕' 때의 정치 상황으로 가장 적절한 것은?

> 나라 안의 여러 주와 군에서 공물과 부세를 바치지 않아 나라의 창고가 텅 비고 나라의 씀씀이가 궁핍하게 되자 왕이 사자를 보내 독촉하니, 이로 인하여 곳곳에서 도적들이 벌 떼처럼 일어났다. 이때 원종과 애노 등이 사벌주(상주)를 근거로 하여 반란을 일으키자 왕이 나마 영기에게 명하여 붙잡게 하였다.

① 국학이 설치되었다.
② 울진 봉평비를 세웠다.
③ 지방에서 호족이 성장하였다.
④ 상대등의 권한이 약화되었다.

7. 다음 시기의 사회 모습에 대한 설명으로 옳지 못한 것은?

> 박유가 "청컨대, 여러 신하, 관료로 하여금 여러 처를 두게 하되, 품위(品位)에 따라 그 수를 점차 줄이도록 하여 보통 사람에 이르러서는 1처 1첩을 둘 수 있도록 하며, 여러 처에서 낳은 아들도 역시 본처가 낳은 아들처럼 벼슬을 할 수 있게 하기를 원합니다. …"라고 하였다.

① 윤회 봉사, 외손 봉사 등이 행해졌다.
② 태어난 순서대로 호적에 기재하였다.
③ 사위가 처가의 호적에 입적하는 일이 자주 있었다.
④ 재가한 여성들의 자식들은 관직 진출에 제약을 받았다.

8. 밑줄 친 '이 제도'에 대한 설명으로 옳은 것은?

> 국왕이 말했다. "나는 일찍부터 이 제도를 시행해 여러 해의 평균을 파악하고 답험(踏驗)의 폐단을 영원히 없애려고 해왔다. 신하들부터 백성까지 두루 물어보니 반대하는 사람은 적고 찬성하는 사람이 많았으므로 백성의 뜻도 알 수 있다."

① 현직 관리에게만 수조권을 지급하였다.
② 지방의 토산물을 집집마다 부과하여 거두었다.
③ 호적에 등재된 16세 이상의 정남에게 부과하였다.
④ 토지 비옥도와 풍흉의 정도에 따라 조세를 납부하게 하였다.

9. 다음 글을 쓴 학자에 대한 설명으로 옳은 것은?

> 올해 초가을에 비로소 저는 책을 완성하여 그 이름을 『성학집요』라고 하였습니다. 이 책에는 임금이 공부해야 할 내용과 방법, 정치하는 방법, 덕을 쌓아 실천하는 방법과 백성을 새롭게 하는 방법이 실려 있습니다. … 천하의 이치가 여기에서 벗어나지 않을 것입니다.

① 현실 세계를 구성하는 '기'를 중시하였다.
② 일평생 벼슬을 하지 않고 처사로 지냈다.
③ 근본적이며 이상주의적인 성격이 강하였다.
④ 인간의 도덕적 행위의 근거로서 심성을 중시하였다.

10. 연표의 (가), (나) 시기에 대한 설명으로 옳은 것은?

삼포왜란	(가)	임진왜란	(나)	병자호란

① (가) – 영창 대군이 사망하였다.
② (가) – 탕평 정치가 본격적으로 실시되었다.
③ (나) – 허준이 『동의보감』을 완성하였다.
④ (나) – 동인이 남인과 북인으로 분화되었다.

11. 빈칸에 들어갈 왕 때의 역사적 사실로 옳은 것은?

> 조선 후기의 서얼들은 수 차례에 걸쳐 집단으로 상소하여 관직 진출의 제한을 없애 줄 것을 요구하였다. 그리하여 ○○ 때에는 유득공, 이덕무, 박제가 등 서얼 출신이 규장각 검서관으로 등용되어 제각기 능력을 발휘할 수 있었다.

① 산림의 존재를 부정하고, 서원을 정리하였다.
② 영조의 계비인 정순왕후가 수렴청정을 하였다.
③ 『대전통편』을 편찬하여 통치 체제를 정비하였다.
④ 남인, 소론, 지방 선비들을 권력에서 배제하였다.

12. 다음 작품을 저술한 학자에 대한 설명으로 옳지 않은 것은?

> 어느 고을에 벼슬을 좋아하지 않는 듯한 선비가 있으니 그의 호는 북곽 선생이었다. … 그 고을 동쪽에 동리자라는 과부가 살았는데 … 그 아들들은 북곽 선생이 밤에 과부를 찾아올 일이 없으니 여우가 둔갑한 것으로 여기고 잡으려 하였다. 북곽 선생이 놀라 도망치다가 거름 구덩이에 빠지고 말았다. －『호질전』

① 화폐 유통의 필요성을 강조하였다.
② 청나라에 다녀온 후 『열하일기』를 저술하였다.
③ 제주도에서 유배 생활을 하면서 '세한도'를 그렸다.
④ 자유로운 문체를 구사하여 「양반전」 등의 한문 소설을 썼다.

13. 다음 자료의 단체에 대한 설명으로 옳은 것은?

> 우리 대한이 종전에 자강지술을 강구하지 않아 인민이 스스로 우매함에 묶여있고 국력이 쇠퇴하여 금일의 험난한 지경에 이트러 외국인의 보호를 당하게 되었으니 … 자강의 방법을 생각해보면 다름 아니라 교육을 진작함과 식산흥업에 있다.

① 보안법에 의해 강제로 해산되었다.
② 태극서관을 세워 서적을 출판하였다.
③ 공화정체 국민 국가 건설을 목표로 하였다.
④ 안창호 · 양기탁 등이 조직한 비밀 결사이다.

14. (가) 시기에 들어갈 역사적 사실로 적절하지 못한 것은?

> 급료로 지급된 쌀에 겨와 모래가 섞여 있자, 분노한 구식 군인들이 폭동을 일으켰다.
>
> ↓
>
> (가)
>
> ↓
>
> 청은 조선에 군대를 계속 주둔시키고, 조 · 청 상민 수륙 무역 장정을 체결하였다.

① 통리기무아문이 폐지되었다.
② 별기군의 일본인 교관이 살해되었다.
③ 청나라와 일본은 톈진 조약을 체결하였다.
④ 고종은 흥선 대원군에게 사태 수습을 맡겼다.

15. 다음 특징을 가진 근대 언론에 대한 설명으로 옳은 것은?

- 의병 운동에 호의적이었다.
- 순한글로도 발행되어 한글 보급에 기여하였다.
- 을사늑약의 부당함을 호소하는 고종의 밀서를 실었다.

① 갑신정변으로 발행이 중단되었다.
② 영국인 베델을 발행인으로 내세웠다.
③ 서재필이 정부의 지원을 받아 창간하였다.
④ 천도교 기관지로, 민족 의식 고취에 이바지하였다.

16. 밑줄 친 '새로운 정책'으로 옳은 것은?

신임 총독은 전임 총독이 시행한 정책에 대신해 <u>새로운 정책</u>을 실시하였다고 말한다. … 지방 제도를 개정해 일정 금액 이상의 세금을 내는 조선인들에게 선거권을 주고 부 협의회 선거를 처음으로 실시한 것 정도이다. 하지만 그것도 자문 기구에 불과하다.

① 창씨개명을 강요하였다.
② 산미 증식 계획을 중단하였다.
③ 조선인에 한해 태형령이 적용되었다.
④ 일본 상품들에 대한 관세를 철폐하였다.

17. 다음 빈칸에 들어갈 인물에 대한 설명으로 옳은 것은?

< 독립운동가 ○○○ 선생의 항일 투쟁 >
- 서전서숙 설립과 민족 교육 실시
- 네덜란드 헤이그에서 열린 만국 평화 회의에 특사로 파견

① 일본에서 2·8 독립 선언을 발표하였다.
② 연해주에서 권업회라는 단체를 조직하였다.
③ 북간도 지역에서 대한 독립군을 결성하였다.
④ 신흥 무관 학교의 교관이 되어 많은 독립군을 양성하였다.

18. 다음 정책과 관련된 내용으로 옳지 않은 것은?

임시 토지 조사국은 토지 대장 및 지도를 작성하고 토지의 조사 및 측량에 대해 사정(査定)으로 확정한 사항 또는 재결을 거친 사항을 이에 등록한다.

① 신고주의 원칙에 따라 진행되었다.
② 조선 총독부의 지세 수입이 크게 늘어났다.
③ 토지 소유권을 보장하는 지계를 발급하였다.
④ 근대적인 토지 소유권 확립을 목표로 하였다.

19. 다음 자료 발표 이후에 전개된 역사적 사실로 옳은 것은?

탁치 반대 국민 총동원 시위 대회 선언문
… 세계에 공약한 한국의 독립 부여는 금번 모스크바에서 개최한 3상 회의의 신탁 관리 결의로서 수포로 돌아갔으니 다시 우리 3천만은 영예로운 피로써 자주 독립을 획득치 아니하면 아니 될 단계에 들어섰다. … 신탁 관리제를 배격하는 국민 운동을 전개하여 자주 독립을 완전히 획득하기까지 3천만 전민족의 최후의 피 한 방울까지라도 흘려서 싸우는 항쟁 개시를 선언함.

① 미군이 군정을 실시하였다.
② 미·소 공동 위원회가 결렬되었다.
③ 김구가 개인 자격으로 귀국하였다.
④ 조선 인민 공화국 수립을 선포하였다.

20. 다음 표에서 (가)~(다)에 들어갈 내용으로 적절한 것은?

대통령 선출 방식	직선제	간선제	직선제	간선제
개헌 시기	1952년 ➡	1960년 ➡	1962년 ➡	1972년
주요 특징	(가)	(나)	국민 투표를 통해 확정	(다)

① (가) - 5년 단임
② (나) - 장면 내각에서 발표
③ (다) - 사사오입 논리로 통과
④ (다) - 대통령 종신 집권 가능

2026 공무원 시험 대비 실전동형 모의고사
한국사
▌제10회 ▌

응시번호	
성 명	

문제책형 ㉮

제1과목	국어	제2과목	영어	제3과목	한국사
제4과목		제5과목			

응시자 주의사항

1. **시험시작 전 시험문제를 열람하는 행위나 시험종료 후 답안을 작성하는 행위를 한 사람**은 「공무원임용시험령」 제51조에 의거 **부정행위자**로 처리됩니다.
2. **답안지 책형 표기는 시험시작 전** 감독관의 지시에 따라 **문제책 앞면에 인쇄된 문제책형을 확인**한 후, **답안지 책형란에 해당 책형(1개)**을 '●'로 **표기**하여야 합니다.
3. **답안은 문제책 표지의 과목 순서에 따라 답안지에 인쇄된 순서(제1·2·3·4·5과목)에 맞추어 표기**해야 하며, 과목 순서를 바꾸어 표기한 경우에도 **문제책 표지의 과목 순서대로 채점**되므로 유의하시기 바랍니다.
4. 시험이 시작되면 문제를 주의 깊게 읽은 후, **문항의 취지에 가장 적합한 하나의 정답만을 고르며,** 문제내용에 관한 질문은 할 수 없습니다.
5. 답안지의 모든 기재 및 표기 사항은 **컴퓨터용 흑색 싸인펜을 사용**하며, 반드시 <보기>의 **올바른 표기 방식**으로 답안을 작성해야 합니다.

   <보기> 올바른 표기: ● 잘못된 표기: ⓥ ⊗ ◑ ⊙ ⦶ ◌ ③

6. **답안을 잘못 표기하였을 경우**에는 **답안지를 교체하여 작성**하거나 **수정할 수 있으며,** 표기한 답안을 수정할 때는 **응시자 본인이 가져온 수정테이프만을 사용**하여 해당 부분을 완전히 지우고 부착된 수정테이프가 떨어지지 않도록 손으로 눌러주어야 합니다. **(수정액 또는 수정스티커 등은 사용 불가)**
   - **불량한 수정테이프의 사용과 불완전한 수정처리**로 발생하는 **모든 문제는 응시자 본인에게 책임이 있습니다.**
7. 법령, 고시, 판례 등에 관한 문제는 **2026년 2월 28일 현재 유효한 법령, 고시, 판례 등을 기준**으로 정답을 구해야 합니다. 다만, 개별 과목 또는 문항에서 별도의 기준을 적용하도록 명시한 경우에는 그 기준을 적용하여 정답을 구해야 합니다.
8. **시험시간 관리의 책임은 응시자 본인에게 있습니다.**
   ※ 문제책은 시험종료 후 가지고 갈 수 있습니다.

정답공개 및 가산점 등록 안내

1. 정답공개: 정답가안 4.4.(토) 13:30 / 최종정답 4.13.(월) 18:00 / 사이버국가고시센터
2. 이의제기: 4.4.(토) 18:00 ~ 4.7.(화) 18:00 / 사이버국가고시센터
   - 구체적인 이의제기 방법은 정답가안 공개 시 공지 예정
3. 가산점 등록기간: 4.4.(토) 13:30 ~ 4.6.(월) 21:00
4. 가산점 등록방법: 사이버국가고시센터 ➔ [원서접수 → 가산점 등록/확인]

박문각

한 국 사

1. 다음 (가) 국왕에 대한 설명으로 옳은 것은?

> 발해와 당의 대립 관계는 (가) 이/가 즉위하면서 해소되었다. (가) 은/는 당의 선진 문물과 제도를 받아들여 중앙 통치 체제를 정비하였으며, 신라와의 상설 교통로를 개설하여 대립 관계를 개선하였다.

① 당나라에 의해 발해군왕으로 봉해졌다.
② 일본에 보낸 국서에서 천손임을 자랑하였다.
③ 고구려 유민을 이끌고 동모산에 도읍을 정하였다.
④ 고구려와 부여 등 옛 영토를 대부분 회복하였다.

2. 밑줄 친 '대왕'의 업적으로 옳은 것은?

> 원광이 말하기를, "자기가 살고자 남을 멸하는 것은 승려로서의 적합한 행동은 아니지만, 제가 대왕의 땅에서 살고 대왕의 물과 풀을 먹고 있으니 감히 명을 따르지 않겠습니까."라고 하면서, 이에 글을 지어 아뢰었다.

① 분황사와 분황사 모전 석탑을 세웠다.
② 영토 확장을 기념하여 북한산비를 세웠다.
③ 진종설을 유포하여 왕권의 안정을 도모하였다.
④ 국왕 직속의 최고 관부인 집사부를 설치하였다.

3. 다음 자료와 관련 있는 승려에 대한 설명으로 옳은 것은?

> 한 작은 티끌 속에서 사방이 있는 것이요, 한 찰나가 곧 영원이다. 양에 있어서 셀 수 없는 많은 것이 있지만 그것은 실로 하나이며, 공간은 사방으로 너르게 되어 있지만 그것이 한 작은 티끌 속에 포함되어 있으며, 시간에 있어서 영원한 것도 한 찰나이다.

① 해동 화엄종을 개창하였다.
② 『왕오천축국전』을 저술하였다.
③ 화랑에게 '세속 5계'를 제시하였다.
④ 향가인 「보현십원가」를 지어 대중에게 전파하였다.

4. 밑줄 친 '이들'의 침입과 관련된 내용으로 옳은 것은?

> 거란족 일부가 이들에게 쫓겨 고려 국경을 침입해 왔다. 고려는 이들과 연합하여 서경 부근의 강동성에 있는 거란족을 물리쳤다. 이를 계기로 고려는 이들과 공식적인 외교 관계를 맺었다.

① 흥화진에서 양규 등이 적에 맞서 싸웠다.
② 처인성에서 김윤후가 적장 살리타를 사살하였다.
③ 윤관이 정벌을 단행하여 동북 지방에 9성을 쌓았다.
④ 최무선이 화통도감에서 화기를 제작하여 이들을 격퇴하였다.

5. 밑줄 친 '그'의 업적으로 옳은 것은?

> 그는 원이 아버지인 충렬왕을 왕위에서 폐위하자 뒤를 이어 왕위에 올랐으나, 곧 아버지에게 다시 왕위를 빼앗겼다. 그는 원에서 황제 자리를 두고 권력 다툼이 일어나자 황제 후보였던 무종을 지원하여 즉위에 공을 세웠으며, 충렬왕이 죽자 다시 왕위에 올랐다. 그러나 그는 원에 새 황제가 즉위하자 토번에 유배를 가게 되었다. 그의 입지가 약화됨에 따라 원에서는 고려를 원의 지방 행정 단위로 편성하려는 입성 책동 운동이 벌어졌다. 이때 이제현은 입성 책동 반대 상소를 올려 고려가 병합되지 않는 데 힘을 썼다.

① 정동행성 이문소를 혁파하였다.
② 사림원을 설치하여 개혁을 추진하였다.
③ 신돈을 전민변정도감의 책임자로 임명하였다.
④ 성균관을 순수 유학 교육 기관으로 개편하였다.

6. 다음 시기의 경제 모습으로 가장 적절하지 않은 것은?

> 의붓아버지가 가난을 이유로 공부시키지 않고 … 이승장의 어머니는 그럴 수 없다며 고집하기를, " … 학문에 뜻을 둘 나이가 되었으니, 그 친아버지가 다니던 사학에 입학시켜 뒤를 잇게 해야 합니다. …"라고 하였다. 마침내 이승장을 솔성재에서 공부하게 하니, 전 남편의 옛 학업을 뒤따르게 한 것이다.

① 경시서를 두어 상행위를 감독하게 하였다.
② 수공업 생산 방식으로 선대제가 유행하였다.
③ 일반 거래에서는 곡식이나 삼베가 사용되었다.
④ 국경 지대의 각장에서 거란과의 무역이 이루어졌다.

7. 다음 수취 제도와 관련된 내용으로 옳은 것은?

> 양인들의 군역에 대한 절목 등을 검토하고 유생의 의견을 들었으며, 개선 방향에 관한 면밀한 검토를 거친 후 담당 관청을 설치하고 본격적으로 시행하였다. 핵심 내용은 1년에 백성이 부담하는 군포 2필을 1필로 줄이는 것이었다.

① 지역별로 총액을 정해서 수취하였다.
② 이를 관할하는 관청으로 선혜청을 두었다.
③ 부족분은 어염세, 결작, 선무군관포로 채웠다.
④ 전국적으로 확산되는데 100여 년이나 걸렸다.

8. 다음 역사서에 대한 설명으로 옳은 것은?

> 부여씨가 망하고 고씨가 망함에 이르러 김씨가 그 남쪽을 차지하고, 대씨(大氏)가 그 북쪽을 차지하고 발해(渤海)라 했으니, 이를 남북국(南北國)이라 한다. 마땅히 남북국의 역사책이 있어야 했는데, 고려가 이를 편찬하지 않은 것은 잘못된 일이다.

① 고조선에서 고려 공양왕까지 서술하였다.
② 고대사 연구 범위를 만주까지 확장하였다.
③ 북한산비가 진흥왕 순수비임을 고증하였다.
④ 500여 종의 다양한 외국 자료들을 인용하였다.

9. 빈칸에 들어갈 인물에 대한 설명으로 옳은 것은?

> ○○○은/는 조선의 개국 공신으로, 궁궐 안의 건물들과 도성 성문의 이름을 지었다. 또한, 훌륭한 재상을 선택하여 재상에게 정치의 실권을 부여할 것을 주장하였다. 이를 통해 재상이 위로는 임금을 받들어 올바르게 인도하고, 아래로는 백관을 통괄하고 만민을 다스리는 중책을 가져야 한다고 하였다.

① 1차 · 2차 왕자의 난을 주도하였다.
② 대동법의 확대 실시를 주장하였다.
③ 고려에 성리학을 처음 소개하였다.
④ 『불씨잡변』을 지어 불교 교리를 비판하였다.

10. 다음은 어느 책의 목차 일부이다. 이 책의 저자에 대한 설명으로 옳은 것은?

> 1. 원시 씨족 공산체의 잉태
> 2. 삼국의 정립 시대의 노예 경제
> 3. 삼국 시대 말기 경부터 최근세에 이르기까지의 아시아적 봉건 사회의 특질
> 4. 아시아적 봉건 국가의 붕괴 과정과 자본주의 맹아 형태

① 사회 · 경제사 연구에 집중하였다.
② 민족 정신을 '혼'으로 파악하였다.
③ 민족주의 역사 서술의 기본 틀을 제시하였다.
④ 정약용의 저서를 모은 『여유당전서』를 간행하였다.

11. 밑줄 친 '왕' 때의 역사적 사실로 옳은 것은?

> 부원수 이괄이 금부도사 고덕상 · 심대림, 선전관 김지수, 중사 김천림 등을 죽이고 군사를 일으켜 반역하였다. … 이괄 부자(父子)가 역적의 우두머리라는 고변이 있었으나, <u>왕</u>은 이괄이 반역하지 않으리라고 생각하여 그 아들 이전을 서울로 데려오라고 명하였는데 … 이괄이 도사 등을 죽이고 여러 장수들을 위협하여 난을 일으켰다.

① 갑인예송을 계기로 남인이 정권을 잡았다.
② 『속대전』을 편찬하여 법률 체제를 정비하였다.
③ 국왕과 일부 신하들이 남한산성으로 들어가 농성하였다.
④ 삼정의 문란을 해결하기 위해 삼정이정청을 설치하였다.

12. 빈칸에 들어갈 국왕 때의 사실로 옳은 것은?

> 정조가 죽은 후 그의 아들 ○○이/가 어린 나이로 즉위하자 정순 왕후가 수렴청정을 하였다. 수렴청정이 끝난 후에는 ○○의 장인이었던 김조순을 중심으로 한 안동 김씨 세력이 정치를 주도하였다.

① 장용영을 혁파하였다.
② 성균관에 탕평비를 세웠다.
③ 창덕궁 안에 규장각을 세웠다.
④ 허적, 윤휴 등 남인이 제거되었다.

13. 다음 내용이 규정된 조약에 대한 설명으로 옳은 것은?

> 제5조 무역을 목적으로 조선국에 오는 미국 상인 및 상선은 모든 수출입 상품에 대하여 관세를 지불해야 한다.

① 운요호 사건을 계기로 체결되었다.
② 개항장에 일본인 거류지가 설정되었다.
③ 일본 공사관에 경비병 주둔을 허용하였다.
④ 영사 재판권과 최혜국 대우가 규정된 불평등 조약이었다.

14. 다음 조약 체결 이후에 전개된 역사적 사실로 옳지 않은 것은?

> 일본국 정부는 그 대표자로서 한국 황제 폐하의 아래에 1명의 통감(統監)을 두되, 통감은 오로지 외교에 관한 사항을 관리하기 위하여 서울에 주재하고, 직접 한국 황제 폐하를 궁중에서 비밀리에 알현할 권리를 가진다.

① 대한 제국의 군대가 해산되었다.
② 고종이 강제 퇴위되고, 순종이 즉위하였다.
③ 초대 통감으로 이토 히로부미가 부임하였다.
④ 일본의 기습 공격으로 러 · 일 전쟁이 발발하였다.

15. 다음 자료와 관련된 운동으로 옳은 것은?

> 민중의 보편적 지식은 보통 교육으로 능히 수여할 수 있으나 심원한 지식과 심오한 학리는 고등 교육에 기대하지 아니하면 불가할 것은 설명할 필요도 없거니와 사회 최고의 비판을 구하며 유능한 인물을 양성하려면 최고 학부의 존재가 가장 필요하도다.

① 자치 운동
② 문자 보급 운동
③ 물산 장려 운동
④ 민립 대학 설립 운동

16. 다음 상소문이 쓰여진 해의 역사적 사실로 옳은 것은?

> 러시아 공사관으로 거처를 옮기시고 해가 바뀌었습니다. 그곳 유리창과 분칠한 담장은 화려하지만, 그을음 나는 석탄을 때는 전돌은 옥체를 보호하기에 적합하지 않은 듯합니다. … 바로 환궁하여 끓어오르는 여론에 부응하시고 영원히 누릴 태평의 터전을 공고히 만드소서.

① 원산 학사가 설립되었다.
② 홍범 14조가 반포되었다.
③ 고종이 연호를 '광무'라고 하였다.
④ 일본과 청은 시모노세키 조약을 맺었다.

17. 다음 일제의 정책들을 순서대로 바르게 나열한 것은?

> ㉠ 회사 설립을 허가제에서 신고제로 바꾸었다.
> ㉡ 국가 총동원법을 만들어 전시 통제 체제를 강화하였다.
> ㉢ 근대적 토지 소유권 확립을 위해 토지 조사국을 설치하였다.
> ㉣ 치안 유지법을 제정하여 사회주의 사상과 민족 운동을 탄압하였다.

① ㉠-㉡-㉢-㉣
② ㉡-㉣-㉢-㉠
③ ㉢-㉠-㉡-㉣
④ ㉢-㉠-㉣-㉡

18. 밑줄 친 '이 단체'의 이름으로 옳은 것은?

> <u>이 단체</u>에서 무엇보다도 큰 힘을 기울여 추진한 일은 우리말 사전 편찬 작업이었다. 단체의 회원들은 조선어 사전을 펴내기 위한 기초 작업으로 우리나라 최초로 '한글 맞춤법 통일안'을 정하였다.

① 서북학회
② 국문 연구소
③ 조선어 학회
④ 조선어 연구회

19. 다음 헌법의 내용으로 옳지 않은 것은?

> 제39조 ① 대통령은 통일 주체 국민 회의에서 토론없이 무기명 투표로 선거한다.
> ② 통일 주체 국민 회의에서 재적 대의원 과반수의 찬성을 얻은 자를 대통령 당선자로 한다.

① 대통령 직선제
② 긴급 조치권 부여
③ 대통령 중임 제한 철폐
④ 대통령의 국회 해산 가능

20. 다음 통일 정책에 대한 내용으로 옳은 것은?

> 남과 북은 나라의 통일을 위한 남측의 연합제 안과 북측의 낮은 단계의 연방제 안이 서로 공통성이 있다고 인정하고 앞으로 이 방향에서 통일을 지향해 나가기로 하였다.

① 1차 남북 정상 회담 때 발표되었다.
② 서울과 평양에서 동시에 발표되었다.
③ 통일의 3대 원칙을 최초로 천명하였다.
④ 남북 고위급 회담의 결과로 체결되었다.

2026 공무원 시험 대비 실전동형 모의고사
한국사
▌제11회 ▌

응시번호	
성 명	

문제책형
㉮

제1과목	국어	제2과목	영어	제3과목	한국사
제4과목		제5과목			

응시자 주의사항

1. **시험시작 전 시험문제를 열람하는 행위나 시험종료 후 답안을 작성하는 행위를 한 사람**은 「공무원임용시험령」 제51조에 의거 **부정행위자**로 처리됩니다.
2. **답안지 책형 표기는 시험시작 전** 감독관의 지시에 따라 **문제책 앞면에 인쇄된 문제책형을 확인** 한 후, **답안지 책형란에 해당 책형(1개)**을 '●'로 **표기**하여야 합니다.
3. **답안은 문제책 표지의 과목 순서에 따라 답안지에 인쇄된 순서(제1·2·3·4·5과목)에 맞추어 표기**해야 하며, 과목 순서를 바꾸어 표기한 경우에도 **문제책 표지의 과목 순서대로 채점**되므로 유의하시기 바랍니다.
4. 시험이 시작되면 문제를 주의 깊게 읽은 후, **문항의 취지에 가장 적합한 하나의 정답만을 고르며,** 문제내용에 관한 질문은 할 수 없습니다.
5. 답안지의 모든 기재 및 표기 사항은 **컴퓨터용 흑색 싸인펜을 사용**하며, 반드시 <보기>의 **올바른 표기 방식**으로 답안을 작성해야 합니다.

   <보기> 올바른 표기: ● 잘못된 표기: ⓥ ⊗ ◑ ⊙ ⦶ ◌ ③

6. **답안을 잘못 표기하였을 경우**에는 **답안지를 교체하여 작성**하거나 **수정할 수 있으며,** 표기한 답안을 수정할 때는 **응시자 본인이 가져온 수정테이프만을 사용**하여 해당 부분을 완전히 지우고 부착된 수정테이프가 떨어지지 않도록 손으로 눌러주어야 합니다. **(수정액 또는 수정스티커 등은 사용 불가)**
   - **불량한 수정테이프의 사용과 불완전한 수정처리**로 발생하는 **모든 문제는 응시자 본인에게 책임이 있습니다.**
7. 법령, 고시, 판례 등에 관한 문제는 **2026년 2월 28일 현재 유효한 법령, 고시, 판례 등을 기준**으로 정답을 구해야 합니다. 다만, 개별 과목 또는 문항에서 별도의 기준을 적용하도록 명시한 경우에는 그 기준을 적용하여 정답을 구해야 합니다.
8. **시험시간 관리의 책임은 응시자 본인에게 있습니다.**

   ※ 문제책은 시험종료 후 가지고 갈 수 있습니다.

정답공개 및 가산점 등록 안내

1. 정답공개: 정답가안 4.4.(토) 13:30 / 최종정답 4.13.(월) 18:00 / 사이버국가고시센터
2. 이의제기: 4.4.(토) 18:00 ~ 4.7.(화) 18:00 / 사이버국가고시센터
   - 구체적인 이의제기 방법은 정답가안 공개 시 공지 예정
3. 가산점 등록기간: 4.4.(토) 13:30 ~ 4.6.(월) 21:00
4. 가산점 등록방법: 사이버국가고시센터 ➜ [원서접수 → 가산점 등록/확인]

박문각

한 국 사

1. 밑줄 친 '이 나라'에 대한 설명으로 옳은 것은?

> <u>이 나라</u>에는 각기 장수가 있어서 우두머리를 '신지'라 하고, 그 다음을 '읍차'라 하였다. 5월이 되어 씨를 다 뿌리고 나면 신에게 제사를 지낸다. 이때는 모든 사람이 모여서 밤낮으로 노래하고 춤을 추며 술을 마시고 논다. 10월에 농사가 끝나면 또 한 번 이렇게 하였다.

① 정치와 종교가 분리된 사회였다.
② 일찍부터 고구려의 압력을 받았다.
③ 5개 부족이 연합한 연맹 왕국이었다.
④ 흉년이 들면 왕에게 그 책임을 묻기도 하였다.

2. 다음 역사적 사실들을 순서대로 바르게 나열한 것은?

> ㉠ 완도에 청해진이 설치되었다.
> ㉡ 김흠돌이 일으킨 반란을 진압하였다.
> ㉢ 한때 폐지되었던 녹읍이 부활하였다.
> ㉣ 웅천주 도독 김헌창이 반란을 일으켰다.

① ㉡-㉠-㉣-㉢　② ㉡-㉢-㉠-㉣
③ ㉡-㉢-㉣-㉠　④ ㉢-㉡-㉣-㉠

3. 다음 (가) 국왕에 대한 설명으로 옳은 것은?

> 발해는 건국 초부터 당과 대결하며 고구려 옛 땅을 회복하는 데 주력하였다. 당나라는 흑수 말갈과 신라를 이용하여 발해를 견제하였다. 이에 (가) 은/는 당의 등주를 선제 공격하고 요서 지방에서 당군과 격돌하였다.

① '인안'이라는 연호를 사용하였다.
② 당나라가 발해국왕으로 책봉하였다.
③ 정효 공주 묘지에는 (가)를 '황상'이라고 표현하였다.
④ 대부분의 말갈족을 복속시키고, 요동으로 진출하였다.

4. 다음 (가) 승려에 대한 설명으로 옳은 것은?

> 신인(神人)이 말하였다. "지금 그대 나라는 여자가 왕위에 있으니 덕은 있지만 위엄이 없습니다. 그래서 이웃 나라가 침략을 꾀하고 있는 것입니다. … 고국에 돌아가거든 절 안에 탑을 세우십시오. 그러면 이웃 나라가 항복할 것이고 구한(九韓)이 와서 조공할 것이며 나라가 편안할 것입니다." (가) 은/는 당나라 황제가 준 불경 등을 가지고 귀국하였다.

① 문무왕의 정치적 자문 역할을 하였다.
② 황룡사 9층 목탑의 건립을 주장하였다.
③ 화엄종을 중심으로 교종을 통합하려 하였다.
④ 일심 사상을 바탕으로 화쟁의 논리를 폈쳤다.

5. 다음 글을 남긴 국왕에 대한 설명으로 옳은 것은?

> 왕이 박술희에게 말하였다. "짐은 미천한 가문에서 일어나 … 외람되게 25년 동안 왕위에 있었으니 몸은 이미 늙었으나 후손들이 사사로운 정에 치우치고 욕심을 함부로 부려 나라의 기강을 어지럽힐까 크게 걱정된다. 이에 훈요를 지어 후세에 전하니 바라건대 아침저녁으로 살펴 길이 귀감으로 삼기 바란다."

① 신라에 적대적인 태도를 취하였다.
② 송악에 도읍을 정하고 후고구려를 세웠다.
③ 고구려 계승을 표방하고 천수라는 연호를 사용하였다.
④ 불법적으로 노비가 된 자들을 조사하여 양인으로 해방하였다.

6. (가) 국가와 관련된 고려의 대응으로 가장 적절한 것은?

> 서희가 말하기를 "우리나라가 곧 고구려의 옛 땅이다. 그러므로 국호를 고려라 하고 평양에 도읍하였으니, 만일 국경으로 논한다면 그대 나라의 동경은 다 우리 경내에 있거늘 어찌 침식이라 하리요? 그리고 압록강의 안팎 역시 우리 영토 내에 있는데 … 만일 (가) 을/를 내쫓고 우리의 영토로 만들면 어찌 관계를 맺지 않겠는가?"

① 광군을 조직하여 침입에 대비하였다.
② 홍화진, 귀주 등지에서 승리를 거두었다.
③ 윤관이 별무반을 이끌고 정벌을 단행하였다.
④ 개경이 함락되자, 국왕이 나주까지 피난하였다.

7. 밑줄 친 '왕'의 재위 기간에 있었던 사실로 옳은 것은?

> 이연종이 말하기를 "임금 앞에 나아가 직접 대면해서 말씀드리기를 바라나이다."라고 하였다. 이미 들어와서는 좌우를 물리치고 말하기를, "변발과 호복은 선왕(先王)의 제도가 아니오니 원컨대 전하께서는 본받지 마소서."라고 하니, <u>왕</u>이 기뻐하면서 즉시 변발을 풀어 버리고 그에게 옷과 요를 하사하였다.

① 소금 전매제를 시행하였다.
② 기철 등 친원 세력들을 숙청하였다.
③ 도병마사를 도평의사사로 개편하였다.
④ 최충의 문헌공도를 비롯한 사학 12도가 성행하였다.

8. 밑줄 친 토지 제도에 대한 설명으로 옳은 것은?

> 고려에는 관리에게 정해진 면적의 토지에서 조세를 거둘 수 있는 권리를 나누어주는 <u>전시과</u>라는 제도가 있었다.

① 전지와 시지를 지급하였다.
② 노동력까지 동원할 수 있었다.
③ 광종 때 처음으로 만들어졌다.
④ 경기 지역에 한정하여 지급하였다.

9. 다음 (가)의 재위 기간에 있었던 사실로 옳은 것은?

> (가) 이/가 새벽에 한명회 등을 불러 말하기를, "… 내가 깊이 생각해보니 간당 중에서 가장 간사하고 교활한 자로는 김종서만 한 자가 없다. … 내가 한두 명의 역사를 거느리고 곧장 그 집에 가서 선 자리에서 베고 달려 아뢰면, 나머지 도적은 평정할 것도 없다. 그대들은 어떻게 생각하는가?" 하니, 모두 말하기를, "좋습니다."라고 하였다.

① 관수 관급제를 실시하였다.
② 종친과 외척의 정치 참여를 제한하였다.
③ 국방 강화를 위해 진관 체제를 도입하였다.
④ 이종무를 파견하여 쓰시마섬을 정벌하였다.

10. 다음 역사적 사실들을 순서대로 바르게 나열한 것은?

> ㉠ 두 차례에 걸쳐 예송 논쟁이 발생하였다.
> ㉡ 훈구 세력을 견제하기 위해 조광조를 중용하였다.
> ㉢ 송시열, 이완의 주도로 적극적인 북벌 운동이 추진되었다.
> ㉣ 정철이 세자 책봉을 왕에게 건의한 것이 문제가 되어 관직에서 쫓겨났다.

① ㉡-㉢-㉣-㉠　② ㉡-㉣-㉠-㉢
③ ㉡-㉣-㉢-㉠　④ ㉢-㉣-㉡-㉠

11. 다음 역사적 사건과 관련된 내용으로 옳은 것은?

> 어른과 아이와 공사천민은 모두 이 격문을 들어라. 무릇 관서는 기자와 단군 시조의 옛터로, 훌륭한 인물이 넘친다. … 그러나 조정에서 서토(西土)를 버림이 분토(糞土)나 다름없이 한다.

① 백정 출신인 임꺽정이 주도하였다.
② 삼정이정청이 설치되는 계기가 되었다.
③ 서북 지방에 대한 차별 대우가 원인이 되었다.
④ 전봉준이 사발통문을 돌리면서 봉기를 호소하였다.

12. 밑줄 친 '이 왕' 때의 사실로 가장 적절한 것은?

> <u>이 왕</u> 때에 이르러 정국을 주도하는 붕당과 견제하는 붕당이 서로 교체됨으로써 정국이 급격하게 전환하는 환국이 나타나기 시작하였다. 이로써 특정 붕당이 정권을 독점하는 일당 전제화의 추세가 대두되었다.

① 군역 부담 완화를 위해 균역법을 시행하였다.
② 박제가, 유득공 등 능력있는 서얼들을 중용하였다.
③ 『국조오례의』, 『동국통감』 등의 서적들을 편찬하였다.
④ 안용복이 독도와 울릉도에 출몰하는 왜인을 쫓아냈다.

13. 다음과 같이 주장한 실학자에 대한 설명으로 옳은 것은?

> 중국은 서양과 180도 정도 차이가 난다. 중국인은 중국을 중심으로 삼고 서양을 변두리로 삼으며, 서양인은 서양을 중심으로 삼고 중국을 변두리로 삼는다. 그러나 실제는 … 중심도 변두리도 없이 모두가 중심이다.

① 『지봉유설』을 저술하였다.
② 중국 중심의 세계관을 비판하였다.
③ 토지 개혁론으로 여전론을 주장하였다.
④ 서인의 공격을 받아 사문난적으로 몰렸다.

14. 다음 역사적 사건에 대한 설명으로 옳지 않은 것은?

> 이날 밤 우정국에서 낙성연을 열었는데 총판 홍영식이 주관하였다. 연회가 끝나갈 무렵 담장 밖에 불길이 일어나는 것이 보였다. 이때 민영익도 우영사로서 연회에 참가하였다가 불을 끄기 위해 문 밖으로 나갔다가 흉도 여러 명이 휘두른 칼에 맞아 쓰러졌다.

① 서울의 하층민까지 가담하였다.
② 급진 개화파 세력이 주도하였다.
③ 입헌 군주제적 정치 체제를 지향하였다.
④ 민씨 정권의 요청으로 청군이 개입하였다.

15. 다음 내용이 규정된 조약에 대한 설명으로 옳은 것은?

> • 한국 고등 관리의 임면은 통감의 동의로써 이를 시행한다.
> • 한국 정부는 통감이 추천하는 일본인을 한국 관리에 임명한다.

① 통감이 대한 제국의 내정을 장악하였다.
② 포츠머스 강화 조약이 체결되는 계기가 되었다.
③ 조선 총독부를 설치한다는 조항이 포함되어 있다.
④ 이 조약 체결 이후에 화폐 정리 사업이 추진되었다.

16. 밑줄 친 '이 시기'에 추진된 정책으로 옳지 않은 것은?

> 이 시기에 일제는 헌병에게 경찰 업무를 부여한 헌병 경찰제를 시행했다. 헌병 경찰은 정식 재판 없이 한국인에게 벌금 등의 처벌을 가하거나 태형에 처할 수도 있었다.

① 회사령 ② 어업령
③ 토지 조사 사업 ④ 조선일보 폐간

17. 밑줄 친 '그'에 대한 설명으로 옳은 것은?

> 그는 경상도 밀양 출생으로 1919년 만주 길림에서 다른 동지들과 함께 의열단을 결성하였다. 의열단은 국내에 대규모로 폭탄을 들여와 식민 통치 기관을 폭파하려고 했으며, 일본 정치인과 친일파에 대한 암살을 시도하였다.

① 민족 혁명당 결성을 주도하였다.
② 조선 혁명군의 총사령관으로 활약하였다.
③ 국민 대표 회의에서 개조파로 활동하였다.
④ 도쿄에서 일왕이 탄 마차 행렬에 폭탄을 던졌다.

18. 다음 시기 이후에 전개된 역사적 사실로 가장 적절한 것은?

> 정부는 북한의 연이은 도발로 야기된 위기 상황을 극복하고 지속적인 경제 성장을 추진한다는 명분을 내세워 대통령의 3회 연임을 허용하는 3선 개헌안을 야당과의 합의 없이 국회에서 통과시킨 후 국민 투표를 통해 가결시켰다. 개헌안에 따라 치러진 대통령 선거에서 김대중이 야당인 신민당 후보로 나와 많은 표를 얻었지만, 결국 박정희가 당선되었다.

① 6 · 3 시위가 일어났다.
② 장면 정권이 수립되었다.
③ 3 · 1 민주 구국 선언을 발표하였다.
④ 여수 · 순천 10 · 19 사건이 일어났다.

19. (가) 시기에 들어갈 역사적 사실로 옳지 않은 것은?

을미사변	(가)	을사늑약

① 서재필이 독립신문을 창간하였다.
② 기유각서의 체결로 사법권이 박탈당했다.
③ 황제의 권한 강화를 위해 원수부를 설치하였다.
④ 대한국 국제를 반포하여 전제 정치를 강조하였다.

20. 다음 정치 상황들을 일어난 순서대로 나열한 것은?

> ㉠ 서울 덕수궁에서 1차 미 · 소 공동 위원회가 열렸다.
> ㉡ 카이로 회담에서 최초로 한국의 독립을 약속하였다.
> ㉢ 여운형이 국내에서 조선 건국 동맹을 결성하였다.
> ㉣ 유엔 소총회에서 남한만의 총선거 실시를 결정하였다.

① ㉡-㉢-㉠-㉣ ② ㉡-㉢-㉣-㉠
③ ㉡-㉣-㉢-㉠ ④ ㉢-㉡-㉣-㉠

2026 공무원 시험 대비 실전동형 모의고사

한국사

▌제12회 ▌

응시번호	
성 명	

문제책형 ㉮

제1과목	국어	제2과목	영어	제3과목	한국사
제4과목		제5과목			

응시자 주의사항

1. **시험시작 전 시험문제를 열람하는 행위나 시험종료 후 답안을 작성하는 행위를 한 사람**은 「공무원임용시험령」 제51조에 의거 **부정행위자**로 처리됩니다.
2. **답안지 책형 표기는 시험시작 전** 감독관의 지시에 따라 **문제책 앞면에 인쇄된 문제책형을 확인** 한 후, **답안지 책형란에 해당 책형(1개)**을 '●'로 **표기**하여야 합니다.
3. **답안은 문제책 표지의 과목 순서에 따라 답안지에 인쇄된 순서(제1·2·3·4·5과목)에 맞추어 표기**해야 하며, 과목 순서를 바꾸어 표기한 경우에도 **문제책 표지의 과목 순서대로 채점**되므로 유의하시기 바랍니다.
4. 시험이 시작되면 문제를 주의 깊게 읽은 후, **문항의 취지에 가장 적합한 하나의 정답만을 고르며**, 문제내용에 관한 질문은 할 수 없습니다.
5. 답안지의 모든 기재 및 표기 사항은 **컴퓨터용 흑색 싸인펜을 사용**하며, 반드시 <보기>의 **올바른 표기 방식**으로 답안을 작성해야 합니다.

   <보기> 올바른 표기: ● 잘못된 표기: ⓥ ⊗ ◑ ⊙ ⏀ ○ ③
6. **답안을 잘못 표기하였을 경우**에는 **답안지를 교체하여 작성**하거나 **수정할 수 있으며**, 표기한 답안을 수정할 때는 **응시자 본인이 가져온 수정테이프만을 사용**하여 해당 부분을 완전히 지우고 부착된 수정테이프가 떨어지지 않도록 손으로 눌러주어야 합니다. **(수정액 또는 수정스티커 등은 사용 불가)**
   - **불량한 수정테이프의 사용과 불완전한 수정처리**로 발생하는 **모든 문제는 응시자 본인에게 책임이 있습니다.**
7. 법령, 고시, 판례 등에 관한 문제는 **2026년 2월 28일 현재 유효한 법령, 고시, 판례 등을 기준**으로 정답을 구해야 합니다. 다만, 개별 과목 또는 문항에서 별도의 기준을 적용하도록 명시한 경우에는 그 기준을 적용하여 정답을 구해야 합니다.
8. **시험시간 관리의 책임은 응시자 본인에게 있습니다.**

   ※ 문제책은 시험종료 후 가지고 갈 수 있습니다.

정답공개 및 가산점 등록 안내

1. 정답공개: 정답가안 4.4.(토) 13:30 / 최종정답 4.13.(월) 18:00 / 사이버국가고시센터
2. 이의제기: 4.4.(토) 18:00 ~ 4.7.(화) 18:00 / 사이버국가고시센터
   - 구체적인 이의제기 방법은 정답가안 공개 시 공지 예정
3. 가산점 등록기간: 4.4.(토) 13:30 ~ 4.6.(월) 21:00
4. 가산점 등록방법: 사이버국가고시센터 ➔ [원서접수 → 가산점 등록/확인]

한 국 사

1. 밑줄 친 ‘이 시대’에 대한 설명으로 옳지 않은 것은?

> 이 시대에 들어와 농업 생산력이 커지면서 잉여 생산물이 증가하였고, 정복 활동이 활발해지면서 빈부 격차와 계급이 발생하였다. 또한, 이 시대의 사람들은 반달 돌칼 등과 같이 더욱 발전된 석기를 이용하여 농사를 지었고, 민무늬 토기에 곡식을 저장하였다.

① 벼농사가 시작되었다.
② 슴베찌르개 등이 사용되었다.
③ 지배층의 무덤인 고인돌을 만들었다.
④ 부여 송국리 등이 대표적인 유적지이다.

2. 밑줄 친 ‘왕’에 대한 설명으로 옳은 것은?

> 신라가 사신을 보내 왕에게 말하기를 “왜인이 그 국경에 가득 차 성을 부수었으니, 노객은 백성된 자로서 왕에게 귀의하여 분부를 청합니다.”라고 하였다. … 왕 10년(400)에 보병과 기병 5만을 보내 신라를 구원하게 하였다.

① 태학을 설립하였다.
② 율령을 반포하였다.
③ 진대법을 실시하였다.
④ 요동 지역을 확보하였다.

3. 밑줄 친 ‘왕’ 때의 사실로 옳은 것은?

> 안승의 조카뻘 되는 장군 대문이 금마저에서 반역을 도모하다가 일이 발각되어 죽임을 당하였다. 남은 무리들이 관리들을 죽이고 읍을 차지하여 반란을 일으켰다. 왕이 군사들에게 명하여 토벌하였다.

① 독서삼품과가 시행되었다.
② 백성들에게 정전을 지급하였다.
③ 중앙군을 9개의 서당으로 개편하였다.
④ 김헌창을 웅천주 도독으로 임명하였다.

4. 다음 역사적 사실들을 순서대로 바르게 나열한 것은?

> ㉠ 신라는 당나라와 동맹을 체결하였다.
> ㉡ 백제가 신라 대야성을 공격하여 함락시켰다.
> ㉢ 고구려가 수나라 군대를 살수에서 격퇴하였다.
> ㉣ 백제의 수도 사비성이 함락되고 의자왕이 항복하였다.

① ㉡-㉠-㉢-㉣　　② ㉡-㉢-㉠-㉣
③ ㉢-㉡-㉠-㉣　　④ ㉢-㉡-㉣-㉠

5. 밑줄 친 ‘왕’의 업적으로 옳은 것은?

> 왕 7년. 노비를 안검(按檢, 자세히 조사하여 살핌)하여 그 시비를 분별하도록 명하였다. 노비인데 주인을 배반한 자가 매우 많았고, 상전을 능멸하는 풍조가 크게 유행하였다. 사람들이 모두 한탄하고 원망하였다. 대목왕후가 간절히 간언하였으나, 왕은 이를 받아들이지 않았다.

① 국자감을 설치하였다.
② 기인 제도를 실시하였다.
③ 과거 제도를 시행하였다.
④ 전시과 제도를 시행하였다.

6. 다음 (가)에 들어갈 기구로 옳은 것은?

> (가) 는 국가 정책을 계획하여 결정하였고, 문하시중이 국정을 총괄하였다. (가) 의 관리는 상하 이중으로 조직되어 있었다. 이 조직의 상층은 모든 행정을 처리하는 재신으로, 하층은 간쟁 등을 맡은 낭사로 구성되었다.

① 중추원　　② 어사대
③ 상서성　　④ 중서문하성

7. 밑줄 친 ‘이 나라’의 사회 모습으로 옳지 않은 것은?

> 이 나라의 농민들은 소를 이용해 깊이갈이를 했으며, 시비법의 발달로 휴경지가 점차 줄어들었다. 밭농사에는 2년 3작의 윤작법이 점차 보급되었다. 후기에 들어와 직파법 대신 이앙법이 남부 지방 일부에 보급될 정도로 논농사에 큰 변화가 나타났다.

① 제사는 형제자매가 돌아가면서 지냈다.
② 사족들이 형성한 동성 마을이 증가하였다.
③ 향·소·부곡 등 특수 행정 구역이 존재하였다.
④ 부모의 재산은 아들·딸 구별없이 고르게 상속되었다.

8. 다음 자료에서 설명하고 있는 역사서에 대한 설명으로 옳은 것은?

> 김부식은 인종의 명에 따라 젊은 관원들과 삼국(고구려 · 백제 · 신라)의 역사를 기전체로 편찬하였다. 묘청의 서경 천도 운동으로 분열된 민심을 수습하고 왕권을 강화하기 위한 목적에서 쓰여졌다.

① 단군을 민족의 시조로 인식하였다.
② 본기, 지, 표, 열전 등으로 구성되어 있다.
③ 불교사 이외에 고대의 설화 등을 수록하였다.
④ 주몽의 삶과 업적을 서술한 영웅 서사시이다.

9. 밑줄 친 (가), (나)에 대한 설명으로 옳지 않은 것은?

> (가)정도전, 남은, 심효생 등이 여러 왕자를 해치려 꾀하다가 성공하지 못하고 참형을 당하였다. 처음에 임금이 (나)정안군의 건국 공로는 여러 왕자 중에 견줄 만한 이가 없기 때문에 특별히 대대로 전해 온 동북면 가별초(사병) 500여 호를 내려 주었다.

① (가)는 재상 중심의 정치를 주장하였다.
② (가)는 요동 정벌을 위해 '진도'를 저작하였다.
③ (나)는 인재 양성을 위해 독서당을 설치하였다.
④ (나)는 6조 직계제를 실시하여 왕권을 강화하였다.

10. (가)~(다)에 들어갈 용어를 바르게 나열한 것은?

> 현종이 즉위하고 효종의 장례 과정에서 발생한 1차 예송에서는 (가) 의 주장이 받아들여졌다. 효종의 비가 죽은 후 벌어진 2차 예송에서는 (나) 의 주장이 채택되었다. 이때 (나) 은/는 왕실의 예와 사대부의 예는 (다) 고 주장하였다.

	(가)	(나)	(다)
①	남인	서인	같다
②	남인	서인	다르다
③	서인	남인	같다
④	서인	남인	다르다

11. 다음 (가)에 대한 설명으로 옳은 것은?

> (가) 은/는 붕당을 없앨 것을 내세우며 이에 동의하는 탕평파를 중심으로 정국을 운영하였다. 특히 노론과 소론의 온건파를 중심으로 각 붕당의 인물들을 고르게 등용하였다. 그리고 붕당의 사상적 지주였던 산림의 존재를 부정하고, 붕당의 지지 기반인 서원을 대폭 정리하였다.

① 호포제를 실시하였다.
② 신해통공을 단행하였다.
③ 북벌 운동을 추진하였다.
④ 『동국문헌비고』를 편찬하였다.

12. 다음 (가), (나) 종교의 이름은?

> (가) 경주의 몰락 양반인 최제우가 창시한 종교이다. 모든 사람이 평등하다는 기본 사상을 바탕으로 '사람이 곧 하늘'이라는 인내천(人乃天) 사상을 강조하였다.
> (나) 하층민과 중인들, 상민과 부녀자들을 대상으로 교세를 확장하였다. 그러나 이 종교를 믿는 사람들 사이에서 유교적 제사 의식을 거부하는 사건이 발생하자, 정부는 성리학적 사회 질서를 무너뜨린다는 이유에서 이 종교를 사교로 규정하고 탄압하였다.

	(가)	(나)
①	대종교	천주교
②	동학	대종교
③	천주교	동학
④	동학	천주교

13. 밑줄 친 '개혁안'에 대한 설명으로 적절치 않은 것은?

> 군국기무처는 국정에 관한 일체의 개혁 안건을 의결하기 위해 만든 임시 회의 기구로, 총재관 김홍집을 비롯하여 어윤중, 김윤식, 유길준 등 모두 17명으로 구성되었다. 군국기무처는 3개월 동안 약 210건의 개혁안을 의결하였다.

① 궁내부를 신설하였다.
② 양지아문을 설치하였다.
③ 과거 제도를 폐지하였다.
④ 은 본위제를 채택하였다.

14. 다음 격문을 발표한 인물에 대한 설명으로 옳지 않은 것은?

> 오호라, 작년 10월에 저들이 한 행위는 만고에 일찍이 없던 일로서, 억압으로 한 조각의 종이에 조인하여 5백 년 전해오던 종묘사직이 드디어 하룻밤에 망했으니, … 나라가 이와 같이 망해 갈진대 어찌 한번 싸우지 않을 수 있는가. 또 살아서 원수의 노예가 되기보다는 죽어서 충의의 혼이 되는 것이 나을 것이다.

① 왜양일체론을 주장하였다.
② 전라도에서 의병을 일으켰다.
③ 미국인 스티븐스를 저격하였다.
④ 일본과의 조약 체결에 반대하였다.

15. 밑줄 친 '이 운동'에 대한 설명으로 옳은 것은?

> 통감부 설치 이후 일제는 대한 제국의 재정을 장악하기 위하여 시설 개선 등의 명목으로 막대한 차관을 들여오게 하였다. 이로 인해 대한 제국은 일본에 막대한 빚을 지게 되었다. 그러자 민족 지도자들을 중심으로 성금을 모아 국채를 갚고 국권을 지키자는 이 운동이 전개되었다.

① 보안회가 주도하였다.
② 조선 물산 장려회가 조직되었다.
③ 대한매일신보 등 언론이 지원하였다.
④ 고등 교육 기관의 설립을 요구하였다.

16. 다음 단체가 조직된 이후에 추진된 일제 정책으로 옳지 않은 것은?

> 만주에서 임시 정부의 직할 부대인 육군 주만 참의부가 성립되었다.

① 치안 유지법이 제정되었다.
② 국민 징용령을 공포하였다.
③ 토지 조사령을 공포하였다.
④ 남면북양 정책을 시행하였다.

17. 다음 (가) 단체에 대한 설명으로 옳은 것은?

> 비타협적 민족주의자와 사회주의자들은 서로 연대하여 (가) 을/를 결성하였다. 창립 대회에서 이상재를 회장으로 선출하고, '정치적 각성을 촉구함', '단결을 공고히 함', '기회주의를 일체 부인함'이란 표어를 내걸었다.

① 어린이날을 제정하였다.
② 자매 단체로 근우회를 두었다.
③ 파리 강화 회의에 대표를 파견하였다.
④ 간도와 연해주에 독립군 기지를 건설하였다.

18. 밑줄 친 민족 운동과 관련된 내용으로 옳지 않은 것은?

> 상쾌한 아침의 나라라는 뜻을 지닌 조선은 일본의 총칼 아래 민족 정신을 무참하게 유린당했다. 일본은 처음 얼마 동안 근대적인 개혁을 실시했으나, 곧이어 마각을 드러냈고 조선 민족은 독립 항쟁을 줄기차게 계속하였다. 그중에서도 중요한 것은 1919년의 독립 만세 운동이었다.

① 순종의 죽음이 계기가 되어 일어난 민족 운동이다.
② 이 결과, 일제가 통치 방식을 문화 통치로 바꾸었다.
③ 탑골 공원에서 학생과 시민들이 독립 선언식을 하였다.
④ 종교계 인사를 중심으로 33명의 민족 대표가 구성되었다.

19. 다음 사건이 전개된 시기를 연표에서 바르게 고른 것은?

> 좌우 합작 위원회는 '모스크바 3국 외무 장관 회의 결정에 따른 통일 임시 정부 수립, 유상 매상과 무상 분배 원칙에 따른 토지 개혁, 반민족 행위자 처벌' 등을 주요 내용으로 하는 '좌우 합작 7원칙'을 발표하였다.

카이로 선언	①	조선 건국 동맹 조직	②	건국 준비 위원회 결성	③	1차 미·소 공위 개최	④	남북 협상 회의 개최

20. 다음 역사적 사실들을 순서대로 바르게 나열한 것은?

> ㉠ 중앙군을 2군 6위로 편제하였다.
> ㉡ 신식 군대인 별기군을 설치하였다.
> ㉢ 중앙의 핵심 군단으로 9서당을 두었다.
> ㉣ 수도 방위를 위해 금위영을 설치하였다.

① ㉠-㉢-㉣-㉡
② ㉢-㉠-㉡-㉣
③ ㉢-㉠-㉣-㉡
④ ㉣-㉢-㉠-㉡

2026 국가직 · 지방직 공무원 시험 대비

실전동형 봉투모의고사

Vol. 1

한국사

▌기출문제▐

박문각

2025. 4. 5. 국가직 9급 기출문제
한국사

응시번호	
성 명	

문제책형: ㉯

제1과목	국어	제2과목	영어	제3과목	한국사
제4과목		제5과목			

응시자 주의사항

1. **시험시작 전 시험문제를 열람하는 행위나 시험종료 후 답안을 작성하는 행위를 한 사람**은 「공무원임용시험령」 제51조에 의거 **부정행위자**로 처리됩니다.
2. **답안지 책형 표기는 시험시작 전** 감독관의 지시에 따라 **문제책 앞면에 인쇄된 문제책형을 확인**한 후, **답안지 책형란에 해당 책형(1개)**을 '●'로 **표기**하여야 합니다.
3. **답안은 문제책 표지의 과목 순서에 따라 답안지에 인쇄된 순서(제1·2·3·4·5과목)에 맞추어 표기**해야 하며, 과목 순서를 바꾸어 표기한 경우에도 **문제책 표지의 과목 순서대로 채점**되므로 유의하시기 바랍니다.
4. 시험이 시작되면 문제를 주의 깊게 읽은 후, **문항의 취지에 가장 적합한 하나의 정답만을 고르며**, 문제내용에 관한 질문은 할 수 없습니다.
5. 답안지의 모든 기재 및 표기 사항은 **컴퓨터용 흑색 싸인펜을 사용**하며, 반드시 <보기>의 **올바른 표기 방식**으로 답안을 작성해야 합니다.

   <보기> 올바른 표기: ● 잘못된 표기: ⓥ ⊗ ◑ ⊙ ◍ ◌ ③

6. **답안을 잘못 표기하였을 경우**에는 **답안지를 교체하여 작성**하거나 **수정할 수 있으며**, 표기한 답안을 수정할 때는 **응시자 본인이 가져온 수정테이프만을 사용**하여 해당 부분을 완전히 지우고 부착된 수정테이프가 떨어지지 않도록 손으로 눌러주어야 합니다. **(수정액 또는 수정스티커 등은 사용 불가)**
   - **불량한 수정테이프의 사용과 불완전한 수정처리**로 발생하는 **모든 문제는 응시자 본인에게 책임이 있습니다.**
7. 법령, 고시, 판례 등에 관한 문제는 **2026년 2월 28일 현재 유효한 법령, 고시, 판례 등을 기준**으로 정답을 구해야 합니다. 다만, 개별 과목 또는 문항에서 별도의 기준을 적용하도록 명시한 경우에는 그 기준을 적용하여 정답을 구해야 합니다.
8. **시험시간 관리의 책임은 응시자 본인에게 있습니다.**

   ※ 문제책은 시험종료 후 가지고 갈 수 있습니다.

정답공개 및 가산점 등록 안내

1. 정답공개: 정답가안 4.4.(토) 13:30 / 최종정답 4.13.(월) 18:00 / 사이버국가고시센터
2. 이의제기: 4.4.(토) 18:00 ~ 4.7.(화) 18:00 / 사이버국가고시센터
   - 구체적인 이의제기 방법은 정답가안 공개 시 공지 예정
3. 가산점 등록기간: 4.4.(토) 13:30 ~ 4.6.(월) 21:00
4. 가산점 등록방법: 사이버국가고시센터 ➜ [원서접수 → 가산점 등록/확인]

한 국 사

1. 다음 설명에 해당하는 문화유산은?

> 고래 잡는 사람, 호랑이, 사슴, 물을 뿜고 있는 고래, 작살이 꽂혀 있는 고래 등이 바위에 묘사되어 있다. 당시 이 지역 사람들의 생활 모습과 신앙, 예술 세계를 이해하는 데 중요한 자료이며 국보로 지정되어 있다.

① 고령 장기리 암각화
② 황해 안악 3호분 행렬도
③ 경주 천마총 장니 천마도
④ 울주 대곡리 반구대 암각화

2. (가)에 해당하는 기구는?

> (가) 은/는 원래 여진족과 왜구의 침입에 대비하기 위해 만든 임시 회의 기구였다. 임진왜란을 거치면서 전·현직 정승을 비롯한 주요 관원이 참여하였고, 군사 문제뿐 아니라 외교, 재정, 인사 등 국정 전반을 다루었다. 이로 인해 의정부와 6조의 기능이 축소되었다.

① 비변사　　② 삼군부
③ 상서성　　④ 집사부

3. 밑줄 친 '이 나라'에 대한 설명으로 옳은 것은?

> 이 나라는 고구려의 옛 땅이다. …(중략)… 곳곳에 촌락이 있는데 모두 말갈의 부락이다. 그 백성은 말갈이 많고 토인(土人)이 적은데, 모두 토인을 촌장으로 삼는다. －『유취국사』

① 골품제를 실시하였다.
② 군사 조직으로 9서당 10정을 두었다.
③ 영락이라는 독자적인 연호를 사용하였다.
④ 지방 행정 구역을 5경 15부 62주로 나누었다.

4. 다음 업적이 있는 왕의 재위 기간에 볼 수 있는 모습은?

> • 우리 풍토에 맞는 농서인 『농사직설』을 편찬하였다.
> • 최윤덕과 김종서를 파견하여 4군 6진을 개척하였다.

① 송파장에 담배를 사려고 나온 농민
② 금난전권 폐지에 항의하는 시전 상인
③ 전분 6등법을 처음 시행하기 위해 찬반 의견을 묻는 관료
④ 천주교 신자가 되어 어머니 제사를 거부하는 유생

5. 밑줄 친 '왕'의 재위 기간에 있었던 사실로 옳은 것은?

> 왕이 신돈에게 국정을 맡겼다. 신돈은 힘있는 자들이 나라의 토지와 약한 자들의 토지를 모두 빼앗고 양민을 자신들의 노비로 삼고 있는 현실을 지적하였다. 그리고 관청을 만들어 그 문제를 개혁하려고 했다.

① 사심관 제도를 실시하였다.
② 정동행성 이문소를 폐지하였다.
③ 광덕, 준풍 등의 연호를 사용하였다.
④ 최승로의 시무 28조 건의를 수용하였다.

6. 밑줄 친 '이곳'에 대한 설명으로 옳은 것은?

> • 이곳의 고인돌 유적은 유네스코 세계 문화유산에 등재되었다.
> • 고려 정부는 이곳으로 천도하여 몽골의 침략에 대항하였다.

① 장보고가 청해진을 설치하였다.
② 정묘호란으로 인조가 피신하였다.
③ 원나라가 탐라총관부를 두었다.
④ 영국군이 러시아를 견제한다는 구실로 주둔하였다.

7. 다음 설명에 해당하는 기구는?

> 개항 이후 정세 변화에 대응하여 개혁을 추진하기 위해 설립된 기구로 외교, 군사 등 개화와 관련된 정책을 총괄하였다. 또한 그 아래 12사를 두어 실무를 담당하게 하였다.

① 교정청　　② 삼정이정청
③ 군국기무처　　④ 통리기무아문

8. 다음 사건 발생 이후에 있었던 사실로 옳은 것은?

> 노비 만적 등 6인이 개경의 북산에서 나무하다가 공노비와 사노비들을 불러 모의하기를, "정중부의 반란과 김보당의 반란 이후로 고관이 천민과 노비에서 많이 나왔다. 장상(將相)의 씨가 따로 있으랴!"라고 하였다.

① 정방 설치 ② 동북 9성 축조
③ 노비안검법 실시 ④ 상수리 제도 시행

9. 밑줄 친 '그'에 대한 설명으로 옳은 것은?

> 그는 『양반전』을 지어 양반 사회의 허위의식을 고발하였다. 그는 상공업 진흥에도 관심을 기울여 수레와 선박의 이용 등에 대해서도 주목하였다.

① 효종의 북벌 운동을 지지하였다.
② 『과농소초』에서 한전제를 주장하였다.
③ 화성 건설을 위해 거중기를 설계하였다.
④ 우리 역사를 체계화한 『동사강목』을 저술하였다.

10. 다음 사실이 있었던 왕대의 설명으로 옳은 것은?

> • 김흠돌의 난을 계기로 진골 귀족 세력 등을 숙청하였다.
> • 녹읍을 폐지하여 귀족의 경제적 기반을 약화하고자 하였다.

① 국학을 설립하였다.
② 불교를 공인하였다.
③ 독서삼품과를 시행하였다.
④ 이사부를 보내 우산국을 정벌하였다.

11. (가), (나) 사이 시기에 있었던 사실로 옳은 것은?

> (가) 왕이 보병과 기병 5만 명을 보내 신라를 구원하게 하였고, 이에 왜군이 퇴각하였다.
> (나) 백제 왕이 가야와 함께 관산성을 공격하였다. 신주군주 김무력이 나아가 교전을 벌였고, 비장인 도도가 백제 왕을 죽였다.

① 고구려가 낙랑군을 몰아냈다.
② 신라가 금관가야를 병합하였다.
③ 고구려가 안시성에서 당군을 물리쳤다.
④ 백제가 평양성에서 고국원왕을 전사시켰다.

12. 다음 자료를 통해 알 수 있는 단체에 대한 설명으로 옳은 것은?

> 남만주로 집단 이주하려고 기도하고, 조선에서 상당한 재력이 있는 사람들을 그곳에 이주시켜 토지를 사들이고 촌락을 세워, …(중략)… 학교를 세워 민족 교육을 실시하고, 무관 학교를 설립하여 문무를 겸하는 교육을 실시하면서, 기회를 엿보아 독립 전쟁을 일으켜 구한국의 국권을 회복하려고 하였다.
>
> -「105인 사건 판결문」

① 만민 공동회를 개최하였다.
② 민립 대학 설립 운동을 추진하였다.
③ 비밀 결사의 형태로 활동을 전개하였다.
④ 광주 학생 항일 운동이 일어나자 진상 조사단을 파견하였다.

13. 밑줄 친 '왕'의 재위 기간에 있었던 사실로 옳은 것은?

> 영의정 이원익은 공물 제도가 방납인에 의한 폐단이 크며, 경기도가 특히 심하다고 생각하였다. 그래서 별도의 관청을 만들어 경기 지역 백성들에게 봄과 가을에 토지 1결마다 8두씩 쌀로 거두고, 이것을 방납인에게 주어 수시로 물품을 구입하여 납부하게 하자고 왕에게 건의하였다. 왕은 그 의견을 받아들였다.

① 삼수병으로 구성된 훈련도감을 설치하였다.
② 조광조 등 사림을 등용하여 훈구 세력을 견제하였다.
③ 유능한 관료를 재교육하는 초계문신 제도를 시행하였다.
④ 일본과 제한된 범위의 무역을 허용하는 기유약조를 맺었다.

14. 밑줄 친 '이 개혁'의 내용으로 옳은 것은?

> 이 개혁에 따라 의정부를 내각으로, 8아문을 7부로 고쳤다. 또한 지방 8도는 23부로 개편하였다.

① 외국어 통역관 양성을 위한 동문학을 세웠다.
② 미국인 교사를 초빙한 육영 공원을 창립하였다.
③ 교원 양성을 위해 한성 사범 학교 관제를 발표하였다.
④ 상공 학교와 광무 학교 등의 실업 학교를 설립하였다.

15. 밑줄 친 '이 지역'에 있는 문화유산은?

> 백제는 5세기 고구려의 공격으로 한강 유역을 상실하면서 수도가 함락되어 <u>이 지역</u>으로 도읍을 옮겼다.

① 몽촌토성 ② 무령왕릉
③ 미륵사지 석탑 ④ 용현리 마애 여래 삼존상

16. 밑줄 친 '이 지역'에 대한 설명으로 옳은 것은?

> <u>이 지역</u>에서 권업회라는 독립운동 단체가 조직되었고, 권업회는 국외 무장 독립 단체들을 모아 대한 광복군 정부라는 독립군 조직을 만들었다.

① 동제사가 창립되었다.
② 경학사가 조직되었다.
③ 한인촌인 신한촌이 형성되었다.
④ 대조선 국민군단이 창설되었다.

17. 밑줄 친 '그'에 대한 설명으로 옳은 것은?

> <u>그</u>는 문종의 넷째 아들인데, 출가하여 승려가 되었다. 송나라로 유학을 가서 화엄학과 천태학을 공부하였다. 이후 천태학을 부흥시켜 천태종을 창립하였다.

① 유 · 불 일치설을 주장하였다.
② 백련사에서 결사를 조직하였다.
③ 정혜쌍수의 수행법을 제시하였다.
④ 『신편제종교장총록』을 편찬하였다.

18. 다음 글을 쓴 인물에 대한 설명으로 옳은 것은?

> 대저 우리나라가 아시아의 중립국이 된다면 러시아를 방어하는 큰 기틀이 될 것이고, 또 아시아의 여러 대국이 서로 보전하는 정략도 될 것이다. …(중략)… 이는 비단 우리나라만을 위한 것이 아니라 중국의 이익도 될 것이고, 여러 나라가 서로 보전하는 계책도 될 것이니 무엇이 괴로워서 하지 않겠는가.

① 영남 만인소 사건을 주도하였다.
② 미국에 파견된 보빙사의 일원이었다.
③ 제2차 수신사로 『조선책략』을 조선에 가지고 왔다.
④ 왜양일체론을 내세우며 개항 반대 운동을 전개하였다.

19. 다음 강령을 발표한 단체에 대한 설명으로 옳은 것은?

> 1. 부호의 의연금 및 일본인이 불법 징수하는 세금을 압수하여 무장을 준비한다.
> 6. 일본인 고관 및 한국인 반역자를 수시 수처에서 처단하는 행형부를 둔다.
> 7. 무력이 완비되는 대로 일본인 섬멸전을 단행하여 최후 목적의 달성을 기한다.

① 「조선 혁명 선언」을 활동 지침으로 삼았다.
② 일본에 국권 반환 요구서를 보내려 하였다.
③ 박상진을 총사령으로 하여 공화정체를 지향하였다.
④ 대한민국 임시 정부의 김구가 중심이 되어 창설하였다.

20. 밑줄 친 '이 헌법' 공포 이후에 있었던 사실로 옳은 것은?

> 제헌 국회는 "유구한 역사와 전통에 빛나는 우리들 대한국민은 기미 삼일 운동으로 대한민국을 건립하여 세계에 선포한 위대한 독립 정신을 계승하여 이제 민주 독립 국가를 재건함에 있어서"라고 명시한 <u>이 헌법</u>을 공포하였다.

① 미군정청이 설치되었다.
② 5 · 10 총선거가 실시되었다.
③ 반민족 행위 처벌법이 공포되었다.
④ 한국의 독립을 언급한 카이로 회담이 개최되었다.

2025. 6. 21. 지방직 9급 기출문제

한국사

응시번호	
성 명	

문제책형

Ⓑ

제1과목	국어	제2과목	영어	제3과목	한국사
제4과목		제5과목			

응시자 주의사항

1. **시험시작 전 시험문제를 열람하는 행위나 시험종료 후 답안을 작성하는 행위를 한 사람**은 「공무원임용시험령」 제51조에 의거 **부정행위자**로 처리됩니다.
2. **답안지 책형 표기는 시험시작 전** 감독관의 지시에 따라 **문제책 앞면에 인쇄된 문제책형을 확인** 한 후, **답안지 책형란에 해당 책형(1개)**을 '●'로 **표기**하여야 합니다.
3. **답안은 문제책 표지의 과목 순서에 따라 답안지에 인쇄된 순서(제1·2·3·4·5과목)에 맞추어 표기**해야 하며, 과목 순서를 바꾸어 표기한 경우에도 **문제책 표지의 과목 순서대로 채점**되므로 유의하시기 바랍니다.
4. 시험이 시작되면 문제를 주의 깊게 읽은 후, **문항의 취지에 가장 적합한 하나의 정답만을 고르며,** 문제내용에 관한 질문은 할 수 없습니다.
5. 답안지의 모든 기재 및 표기 사항은 **컴퓨터용 흑색 싸인펜을 사용**하며, 반드시 <보기>의 **올바른 표기 방식**으로 답안을 작성해야 합니다.

   <보기> 올바른 표기: ● 잘못된 표기: ⓥ ⊗ ◑ ⊙ ◍ ◌ ③

6. **답안을 잘못 표기하였을 경우**에는 **답안지를 교체하여 작성**하거나 **수정할 수 있으며,** 표기한 답안을 수정할 때는 **응시자 본인이 가져온 수정테이프만을 사용**하여 해당 부분을 완전히 지우고 부착된 수정테이프가 떨어지지 않도록 손으로 눌러주어야 합니다. **(수정액 또는 수정스티커 등은 사용 불가)**
   - **불량한 수정테이프의 사용과 불완전한 수정처리**로 발생하는 **모든 문제는 응시자 본인에게 책임이 있습니다.**
7. 법령, 고시, 판례 등에 관한 문제는 **2026년 2월 28일 현재 유효한 법령, 고시, 판례 등을 기준**으로 정답을 구해야 합니다. 다만, 개별 과목 또는 문항에서 별도의 기준을 적용하도록 명시한 경우에는 그 기준을 적용하여 정답을 구해야 합니다.
8. **시험시간 관리의 책임은 응시자 본인에게 있습니다.**

   ※ 문제책은 시험종료 후 가지고 갈 수 있습니다.

정답공개 및 가산점 등록 안내

1. 정답공개: 정답가안 4.4.(토) 13:30 / 최종정답 4.13.(월) 18:00 / 사이버국가고시센터
2. 이의제기: 4.4.(토) 18:00 ~ 4.7.(화) 18:00 / 사이버국가고시센터
   - 구체적인 이의제기 방법은 정답가안 공개 시 공지 예정
3. 가산점 등록기간: 4.4.(토) 13:30 ~ 4.6.(월) 21:00
4. 가산점 등록방법: 사이버국가고시센터 ➜ [원서접수 → 가산점 등록/확인]

한 국 사

1. 신석기 시대에 대한 설명으로 옳은 것만을 모두 고르면?

> ㉠ 갈돌과 갈판을 사용하여 곡물이나 열매를 갈았다.
> ㉡ 반달 돌칼을 사용하여 농작물을 수확하였다.
> ㉢ 뼈바늘을 사용하여 옷이나 그물을 만들었다.
> ㉣ 벼농사를 널리 짓게 되었다.

① ㉠, ㉢　② ㉠, ㉣
③ ㉡, ㉢　④ ㉡, ㉣

2. (가) 나라에 대한 설명으로 옳은 것은?

> 옛 (가) 의 풍속에는 비가 오는 것이 고르지 않아 곡식이 익지 않으면, 문득 왕에게 그 잘못을 돌려 "마땅히 바꾸어야 한다." 또는 "마땅히 죽여야 한다."라고 말하였다.
> -'삼국지' 위서 동이전

① 읍락의 우두머리들이 스스로 '삼로(三老)'라고 불렀다.
② 마가(馬加)와 우가(牛加) 등 가축의 이름을 딴 관리가 있었다.
③ 사람이 질병으로 죽으면 살던 집을 버리고 다시 새 집을 지었다.
④ 다른 읍락의 산천을 침범하면 노비와 소, 말 등으로 배상하게 하였다.

3. 다음 외교 문서를 작성한 나라에 대한 설명으로 옳지 않은 것은?

> 무예가 알립니다. "고(구)려의 옛 터전을 회복하고, 부여의 유속(遺俗)을 가지게 되었습니다."

① 당의 등주를 공격하였다.
② 행정 구역을 5경 15부 62주로 나누었다.
③ 집사부 장관인 시중이 왕명을 받들어 행정을 총괄하였다.
④ '인안' 등의 연호를 사용하고 국왕을 '황상'이라고 부르기도 하였다.

4. 밑줄 친 '국왕'의 업적으로 옳지 않은 것은?

> 이차돈이 국왕에게 아뢰기를 "신이 거짓으로 왕명을 전하였다고 문책하여 신의 머리를 베시면 만민이 모두 굴복하고 감히 왕명을 어기지 못할 것입니다."라고 하였다. … 옥리(獄吏)가 이차돈의 머리를 베니 하얀 젖이 한 길이나 솟았다.

① 율령을 반포하고 상대등을 설치하였다.
② 병부를 설치하고 금관가야를 병합하였다.
③ '건원'이라는 독자적인 연호를 사용하였다.
④ 국호를 '신라'로 정하고 우산국을 정벌하였다.

5. (가) 시기에 일어난 고구려 관련 사건은?

> 태학 설립 → (가) → 평양 천도

① 동옥저를 정벌하였다.
② 전연의 침입으로 도성이 함락되었다.
③ 후연을 격파하고 요동 지역을 차지하였다.
④ 백제의 수도 한성을 함락하고 개로왕을 살해하였다.

6. (가) 국왕의 업적으로 옳지 않은 것은?

> (가) 은/는 김부(金傅)를 경주의 사심관으로 임명하여 부호장(副戶長) 이하의 관직 등에 관한 일을 맡게 하였다. 이에 여러 공신들 역시 이를 본받아 자기 주(州)의 사심이 되었으니, 사심관이 이로부터 비롯되었다.

① 기인 제도를 시행하였다.
② 발해 유민을 받아들였다.
③ 개경을 '황도'라고 불렀다.
④ 훈요 10조를 남겼다.

7. 다음 대화가 오고 간 시기는?

> 소손녕 : 그대 나라는 신라 땅에서 일어났고, 고구려 땅은 우리 땅인데 너희들이 쳐들어와 차지하였다.
> 서 희 : 우리는 고구려를 계승하여 나라 이름을 고려라 하였다. 땅의 경계를 논한다면 그대 나라의 동경도 모두 우리 땅이다.

고려 건국	(가)	귀주 대첩	(나)	무신 정변	(다)	개경 환도	(라)	위화도 회군

① (가)　② (나)
③ (다)　④ (라)

. 밑줄 친 '국왕'에 대한 설명으로 옳은 것은?

> 이달에 국왕이 친히 언문 28자를 지었는데, 그 글자는 옛 글자를 모방하였고, 초성 · 중성 · 종성으로 조합해야 한 음절이 이루어졌다. 무릇 문자로 기록한 것과 말로만 전해지는 것을 모두 쓸 수 있으며, 글자는 비록 쉽고 간단하지만 무궁무진한 표현이 가능하니, 이를 '훈민정음'이라고 한다.

① 『경국대전』을 반포하였다.
② 『삼강행실도』를 편찬하였다.
③ 『국조오례의』를 간행하였다.
④ 『동국여지승람』을 편찬하였다.

. (가) 인물에 대한 설명으로 옳은 것은?

> (가) 은/는 무신 집권기 불교의 세속화를 비판하면서 불교 본연의 정신을 확립하자는 결사 운동을 주도하여 수선사를 결성하였다. 그는 깨달음을 얻은 뒤에도 수행을 게을리하지 않아야 한다는 돈오점수를 내세웠다.

① 천태종을 창시하였다.
② 임제종을 도입하였다.
③ 교종의 입장에서 선종을 통합하려 하였다.
④ 정혜쌍수라는 실천 수행 방법을 제시하였다.

0. 밑줄 친 '국왕'의 정책으로 옳은 것은?

> 국왕은 성균관 앞에 "두루 사귀되 편당을 짓지 않는 것이 군자의 공정한 마음이요, 편당을 짓고 두루 사귀지 않는 것은 소인의 사사로운 마음이다."라는 내용을 새긴 탕평비를 세웠다.

① 균역법을 실시하였다.
② 수원 화성을 건설하였다.
③ 초계문신제를 시행하였다.
④ 『대전회통』을 편찬하였다.

1. (가) 인물에 대한 설명으로 옳은 것은?

> (가) 은/는 삼가 두 번 절하고 아뢰옵니다. … 성학(聖學)에는 강령이 있고, 심법(心法)에는 지극히 요긴한 것이 있습니다. … 이것을 합하여 『성학십도』를 만들어서 각 그림 아래에 또한 외람되게 신의 의견을 덧붙여서 조심스럽게 꾸며 올립니다.

① 한전론을 주장하여 토지 소유를 균등하게 하려고 하였다.
② (가)의 학문은 김장생 등에게 이어져 기호학파가 형성되었다.
③ (가)의 학문은 유성룡 등에게 이어져 영남학파가 형성되었다.
④ 여전제를 주장하여 토지를 마을 단위로 공동 소유하게 하였다.

12. 다음 조약이 체결된 이후에 있었던 사실이 아닌 것은?

> 제1조 한국 정부는 시정개선(施政改善)에 관하여 통감의 지도를 받을 것
> 제4조 한국 고등 관리의 임면(任免)은 통감의 동의를 받아 이를 집행할 것
> 제5조 한국 정부는 통감이 추천한 일본인을 한국 관리로 임명할 것

① 고종이 강제 퇴위당하였다.
② 대한 제국의 군대가 해산되었다.
③ 안중근이 이토 히로부미를 저격하였다.
④ 이른바 '남한 대토벌 작전'이 전개되었다.

13. 다음 조약에 대한 설명으로 옳은 것은?

> 제9관 수입 또는 수출되는 각 화물이 해관을 통과할 때는 응당 본 조약에 첨부된 세칙에 따라 관세를 납부해야 한다.
> 제37관 조선국에서 가뭄과 홍수, 전쟁 등으로 인하여 국내에 양식이 결핍할 것을 우려하여 일시 쌀 수출을 금지하려고 할 때에는 1개월 전에 지방관이 일본 영사관에게 통지하여 미리 그 기간을 항구에 있는 일본 상인들에게 전달하여 일률적으로 준수하는 데 편리하게 한다.

① 갑신정변의 영향으로 체결되었다.
② 최혜국 대우에 관한 내용을 담고 있다.
③ 일본 경비병의 공사관 주둔을 명시하였다.
④ 부산 외 2곳에 개항장이 설치되는 결과를 가져왔다.

14. 밑줄 친 '내'에 대한 설명으로 옳은 것만을 모두 고르면?

> 내가 원하는 우리 민족의 사업은 결코 세계를 무력으로 정복하거나 경제력으로 지배하려는 것이 아니다. 오직 사랑의 문화, 평화의 문화로 우리 스스로 잘 살고 인류 전체가 의좋게 즐겁게 살도록 하는 일을 하자는 것이다. 어느 민족도 일찍이 그러한 일을 한 이가 없었으니 그것은 공상이라고 하지 말라.

> ㉠ 대한민국 임시 정부 주석을 지냈다.
> ㉡ 상하이에서 한인 애국단을 조직하였다.
> ㉢ 조선 의용대를 창설하여 항일 무장 투쟁을 전개하였다.
> ㉣ 조선 혁명군을 지휘하여 영릉가 전투를 승리로 이끌었다.

① ㉠, ㉡ ② ㉠, ㉢
③ ㉡, ㉣ ④ ㉢, ㉣

15. 다음 선언으로 시작된 운동에 대한 설명으로 옳은 것은?

> 우리는 지금 우리 조선이 독립국이고 조선인이 자주민임을 선언하노라. 이를 세계 여러 나라에 알려 인류 평등의 대의를 분명히 밝히고, 이를 후손에게 대대로 전하여 민족 자존의 정당한 권리를 영원히 누릴 수 있도록 하노라.

① 형평 운동과 같은 연도에 발생하였다.
② 신간회에서 진상 조사단을 파견하였다.
③ 이 운동 이후 일제는 이른바 '문화 통치'로 통치 방식을 바꾸었다.
④ 운동 준비 과정에서 민족주의 세력과 사회주의 세력이 연대하였다.

16. 유네스코 세계 문화유산으로 등재된 것만을 모두 고르면?

> ㉠ 경복궁　　㉡ 남한산성
> ㉢ 석촌동 고분군　　㉣ 가야 고분군

① ㉠, ㉢　　② ㉠, ㉣
③ ㉡, ㉢　　④ ㉡, ㉣

17. (가)에 대한 설명으로 옳지 않은 것은?

> 대한민국 임시 정부는 대한민국 원년에 정부가 공포한 군사 조직법에 의거하여 … (가) 을/를 조직하고 … 공동의 적인 일본 제국주의자들을 타도하기 위해 연합군의 일원으로 항전을 계속한다.

① 중국군과 연합하여 쌍성보 전투에서 승리했다.
② 조선 의용대가 합류하여 군사력이 한층 더 강화되었다.
③ 중국 충칭에서 국민당 정부의 지원을 받아 창설되었다.
④ 영국군의 협조 요청으로 미얀마, 인도 전선에 파견되었다.

18. 다음 조약이 체결되고 난 이후에 일어난 일은?

> 제2조 당사국 중 어느 한 나라의 정치적 독립 또는 안전이 외부로부터의 무력 공격에 의하여 위협을 받고 있다고 어느 당사국이든지 인정할 때에는 언제든지 당사국은 서로 협의한다.
> 제4조 상호적 합의에 의하여 미합중국의 육군, 해군, 공군을 대한민국의 영토 내와 그 부근에 배치하는 권리를 대한민국은 이를 허가하고 미합중국은 이를 수락한다.

① 판문점에서 정전 협정이 체결되었다.
② 베트남에 한국군 전투 부대가 파견되었다.
③ 이승만 대통령이 반공 포로를 석방하였다.
④ 유엔군 총사령관 맥아더가 인천 상륙 작전을 감행하였다.

19. (가) 국가에 대한 설명으로 옳지 않은 것은?

> 제1조 지계아문은 한성부와 13도 각 부 · 군의 산림, 토지, 전답, 가옥의 계권(契券)을 바로잡기 위해 임시로 설치할 것
> 제10조 산림, 토지, 전답, 가옥은 (가) 인(人) 이외에는 소유주가 될 수 없을 것임. 단, 각 개항장 내에서는 이러한 제한이 없을 것임.

① '광무'라는 연호를 사용하였다.
② 교육 입국의 조서를 반포하였다.
③ 구본신참의 원칙하에 개혁을 추진하였다.
④ 서대문과 청량리 사이에 전차를 부설하였다.

20. (가)~(라)를 시기가 이른 것부터 바르게 나열한 것은?

> (가) 어재연의 부대가 광성보에서 미국군에게 패하였다.
> (나) 양헌수의 부대가 정족산성에서 프랑스군을 물리쳤다.
> (다) 독일인 오페르트가 남연군의 묘를 도굴하려다 실패하였다.
> (라) 미국 상선 제너럴셔먼호가 평양 부근까지 들어와 통상을 요구하였다.

① (가) → (나) → (다) → (라)
② (나) → (라) → (가) → (다)
③ (다) → (나) → (가) → (라)
④ (라) → (나) → (다) → (가)

2025. 6. 21. 법원직 9급 기출문제
한국사

응시번호	
성 명	

문제책형 ①

제1과목	국어	제2과목	영어	제3과목	한국사
제4과목		제5과목			

응시자 주의사항

1. **시험시작 전 시험문제를 열람하는 행위나 시험종료 후 답안을 작성하는 행위를 한 사람**은 「공무원임용시험령」 제51조에 의거 **부정행위자**로 처리됩니다.
2. **답안지 책형 표기는 시험시작 전** 감독관의 지시에 따라 **문제책 앞면에 인쇄된 문제책형을 확인**한 후, **답안지 책형란에 해당 책형(1개)**을 '●'로 **표기**하여야 합니다.
3. **답안은 문제책 표지의 과목 순서에 따라 답안지에 인쇄된 순서(제1·2·3·4·5과목)에 맞추어 표기**해야 하며, 과목 순서를 바꾸어 표기한 경우에도 **문제책 표지의 과목 순서대로 채점**되므로 유의하시기 바랍니다.
4. 시험이 시작되면 문제를 주의 깊게 읽은 후, **문항의 취지에 가장 적합한 하나의 정답만을 고르며**, 문제내용에 관한 질문은 할 수 없습니다.
5. 답안지의 모든 기재 및 표기 사항은 **컴퓨터용 흑색 싸인펜을 사용**하며, 반드시 <보기>의 **올바른 표기 방식**으로 답안을 작성해야 합니다.

   <보기> 올바른 표기: ● 잘못된 표기: ⓥ ⊗ ◑ ⊙ ◍ ◌ ③

6. **답안을 잘못 표기하였을 경우**에는 **답안지를 교체하여 작성**하거나 **수정할 수 있으며**, 표기한 답안을 수정할 때는 **응시자 본인이 가져온 수정테이프만을 사용**하여 해당 부분을 완전히 지우고 부착된 수정테이프가 떨어지지 않도록 손으로 눌러주어야 합니다. **(수정액 또는 수정스티커 등은 사용 불가)**
   - **불량한 수정테이프의 사용과 불완전한 수정처리**로 발생하는 **모든 문제는 응시자 본인에게 책임이 있습니다.**
7. 법령, 고시, 판례 등에 관한 문제는 **2026년 2월 28일 현재 유효한 법령, 고시, 판례 등을 기준**으로 정답을 구해야 합니다. 다만, 개별 과목 뜨는 문항에서 별도의 기준을 적용하도록 명시한 경우에는 그 기준을 적용하여 정답을 구해야 합니다.
8. **시험시간 관리의 책임은 응시자 본인에게 있습니다.**

   ※ 문제책은 시험종료 후 가지고 갈 수 있습니다.

정답공개 및 가산점 등록 안내

1. 정답공개: 정답가안 4.4.(토) 13:30 / 최종정답 4.13.(월) 18:00 / 사이버국가고시센터
2. 이의제기: 4.4.(토) 18:00 ~ 4.7.(화) 18:00 / 사이버국가고시센터
   - 구체적인 이의제기 방법은 정답가안 공개 시 공지 예정
3. 가산점 등록기간: 4.4.(토) 13:30 ~ 4.6.(월) 21:00
4. 가산점 등록방법: 사이버국가고시센터 ➜ [원서접수 → 가산점 등록/확인]

박문각

한 국 사

1. 다음 밑줄 친 '이 선거'에 대한 설명으로 가장 옳은 것은?

① 임기 4년의 국회 의원을 선출하였다.
② 김구, 김규식은 선거 불참을 선언하였다.
③ 이 선거로 이승만이 대통령에 선출되었다.
④ 18세 이상 모든 국민에게 투표권이 부여되었다.

2. 다음 (가) 나라가 남긴 문화유산으로 가장 옳은 것은?

> 고령군은 원래 (가) 이다. 시조 이진아시왕(伊珍阿豉王)부터 도설지왕(道設智王)까지 16대 520년간 유지되었다. 진흥대왕이 이를 공격해 없애고 그 지역을 군으로 삼았는데, 경덕왕이 고령군으로 개칭하였다.

①

산수문전

②

임신서기석

③

지산동 고분군

④

금동 연가 7년명 여래 입상

3. 다음 자료를 통해 알 수 있는 의병에 대한 설명으로 가장 옳은 것은?

> 이번에 춘천 등지에서 백성이 소란을 피운 것은 8월 20일 사변 때 쌓인 울분 때문임을 알 수 있다. 나라의 역적을 이미 법에 의해 처단하였고 나머지 무리도 차례로 처벌할 것이니, 옛 울분을 풀 수 있을 것이다. 해당 지방에 주둔하는 군대는 반드시 이 조칙을 춘천부에 모여 있는 백성에게 보여, 각자 백성으로 돌아가 생업에 편안히 종사하도록 해야 할 것이다. 아울러 너희 군대의 무관과 병졸은 즉시 돌아오도록 하라.

① 양반 유생이 주도하였다.
② 초대 통감을 사살하였다.
③ 서울 진공 작전을 전개하였다.
④ 외교권 박탈에 항의하여 일어났다.

4. 다음 (가), (나)와 같은 행정 구역에 대한 설명으로 가장 옳은 것은?

> • 명종 6년 망이의 고향인 (가) 을/를 충순현으로 승격시켜 그들을 달래었다.
> • 고종 42년 충주의 (나) 이/가 몽골군을 막는 데 공을 세워 현으로 승격시켰다.

① 군사적인 특수 지역에 설치되었다.
② 일반 군현에 비해 세금 부담이 컸다.
③ 원주, 청주 등 다섯 곳에 설치되었다.
④ 지역 순찰을 위해 안찰사가 파견되었다.

5. 다음 밑줄 친 '사건'과 관련된 내용으로 가장 옳은 것은?

> 사건의 발단은 조선의 사실상 마지막 황제인 고종의 인산일을 이틀 앞둔 날에 시작되었다. 그러나 소요의 기미가 있는데, 설사 독립운동과 같은 사건이 한국에서 일어나더라도 이에 대해 일체의 보도를 하지 말라는 경찰청장의 통고문을 접수한 것은 이보다 앞선 1월 28일의 일이었다. 2월 14일에도 한국인의 독립 선언문 보도 금지 명령이 내려졌다. 2월 19일 『재팬 클로니클』지는 보도 금지된 사실과 선언문을 배포한 사람들이 비밀 재판을 받고 1년간의 징역을 선고받은 사실을 담은 기사를 크게 보도하였다.

① 신간회가 진상 조사단을 파견하였다.
② 광주에서 시작되어 전국으로 확대되었다.
③ 민족 유일당 운동을 추진하는 계기가 되었다.
④ 대한민국 임시 정부가 수립되는 계기가 되었다.

6. 다음 자료의 사건이 일어났을 당시의 무신 집권자에 대한 설명으로 가장 옳지 않은 것은?

> 김윤후는 일찍이 승려가 되어 백현원에 살았는데 몽골병이 오자 처인성으로 난을 피하였다. 몽골의 원수 살리타이가 쳐들어와서 처인성을 공격하자 김윤후가 그를 활로 쏴 죽였다. 왕이 그 공을 가상히 여겨 상장군을 제수하였으나, 김윤후는 공을 다른 사람에게 양보하여 말하기를, "싸울 때를 당하여 나는 활과 화살이 없었는데 어찌 감히 헛되이 무거운 상을 받으리오." 하고 굳이 사양하고 받지 않았다. 이에 (훨씬 낮은 계급인) 섭낭장으로 고쳐 제수하였다.

① 사병 조직인 도방을 확대하였다.
② 정방을 설치하여 인사권을 장악하였다.
③ 수도를 강화도로 옮겨 몽골에 항전하였다.
④ 서방을 두어 능력 있는 문신들에게 자문하였다.

7. 다음 헌법이 적용된 시기에 있었던 사실로 가장 옳은 것은?

> 제39조 ① 대통령은 대통령 선거인단에서 무기명 투표로 선거한다.
> 제40조 ① 대통령 선거인단은 국민의 보통 · 평등 · 직접 · 비밀 선거에 의하여 선출된 대통령 선거인으로 구성한다.

① 10월 유신이 단행되었다.
② 베트남 파병이 이루어졌다.
③ 지방 자치제가 전면 실시되었다.
④ 언론사에 보도 지침이 하달되었다.

8. 다음 두 민주화 운동의 공통점으로 가장 옳은 것은?

> • 3 · 15 부정 선거와 김주열 사망으로 인해 이승만 정부에 대한 항의 시위가 전국적으로 확산되었다.
> • 전두환 정부의 독재에 반대하고 호헌 철폐를 요구하는 전국적 시위의 결과 6 · 29 선언이 발표되었다.

① 비상계엄이 선포되었다.
② 유신 체제에 저항하였다.
③ 헌법 개정으로 이어졌다.
④ 대통령이 하야하는 결과를 가져왔다.

9. 다음 제도를 시행한 왕에 대한 설명으로 가장 옳은 것은?

> • 5월에 교서를 내려 문무 관료들에게 토지를 차등 있게 하사하였다.
> • 봄 정월에 중앙과 지방 관리들의 녹읍을 폐지하고 해마다 조를 차등 있게 주고 이를 일정한 법으로 삼았다.

① 삼국 통일을 완성하였다.
② 김흠돌의 난을 진압하였다.
③ 단양 신라 적성비를 세웠다.
④ 국정을 총괄하는 상대등을 두었다.

10. 다음 밑줄 친 '이 기구'와 관련된 내용으로 가장 옳은 것은?

> 요즈음 큰 일이건 작은 일이건 이 기구에서 모두 다룹니다. 의정부는 한갓 이름뿐이고 6조는 할 일을 모두 빼앗기고 말았습니다. 이름은 변방 방비를 위해서라고 하면서 과거나 왕비와 후궁 간택까지도 모두 여기서 처리합니다.

① 3사 관리의 추천권을 가지고 있었다.
② 사헌부, 홍문관과 함께 3사로 불렸다.
③ 3포 왜란 이후 임시 기구로 설치되었다.
④ 서얼 출신 학자들이 검서관에 등용되었다.

11. 다음 자료와 관련 있는 나라에 대한 설명으로 가장 옳은 것은?

> 다른 사람을 죽인 자는 즉시 죽이고, 남에게 상처를 입힌 자는 곡물로 배상하게 한다. 도둑질한 자는 재산을 몰수하고 노비로 삼으며, 용서를 받고자 하는 자는 1인당 50만 전을 내게 한다. … 부인은 정숙하고 신의가 있어서 음란하지 않았다.
> –「한서」 지리지

① 국가의 중대사는 제가 회의에서 논의되었다.
② 가축 이름을 딴 제가가 별도로 사출도를 다스렸다.
③ 읍락을 함부로 침범하면 노비와 소, 말로 배상하게 하였다.
④ 중국과 한반도 남부 사이에서 중계 무역으로 이익을 얻었다.

12. 다음 밑줄 친 '단체'와 관련된 내용으로 가장 옳은 것은?

> 백정 박성춘이 "이 사람은 바로 대한에서 가장 천한 사람이고 무식합니다. 그러나 임금께 충성하고 나라를 사랑하는 뜻은 대강 알고 있습니다. … 관리와 백성이 힘을 합하여 우리 대황제의 훌륭한 덕에 보답하고 국운이 영원토록 무궁하게 합시다."라고 연설하니 사람들이 박수갈채를 보내고 단체 회원들이 각자 자신의 의견을 말한 후 … 먼저 6개 조항을 만민에게 돌려 찬성을 받고 대신들도 모두 가(可) 자 아래 서명하였다.

① 러시아의 절영도 조차 요구를 저지하였다.
② 일제의 황무지 개간권 요구를 저지하였다.
③ 을사오적을 처단하기 위한 목표를 지녔다.
④ 고종의 강제 퇴위를 반대하는 시위를 주도하였다.

13. 다음 연설문을 발표한 정부의 통일 노력으로 가장 옳은 것은?

> 오늘은 이 땅에서 처음으로 민주적 정권 교체가 실현되는 자랑스러운 날입니다. 또한 민주주의와 경제를 동시에 발전시키려는 정부가 마침내 탄생하는 역사적인 날이기도 합니다. … 민주주의와 시장 경제가 조화를 이루면서 함께 발전하게 되면 정경 유착이나 관치 금융, 그리고 부정부패는 일어날 수 없습니다.

① 개성 공업 지구가 조성되었다.
② 7 · 4 남북 공동 성명을 합의하였다.
③ 6 · 15 남북 공동 선언이 채택되었다.
④ 남북한이 동시에 유엔에 가입하였다.

14. 다음 조선 시대 (가), (나) 교육 기관에 대한 설명으로 가장 옳은 것은?

> • (가) 에는 양인 이상의 신분이면 누구나 입학할 수 있었으며, 생원 · 진사시를 준비하는 교육을 받았다. 동학, 서학, 남학, 중학이 있었다.
> • (나) 은/는 성현에 대한 제사와 유생의 교육, 주민의 교화를 위해 부 · 목 · 군 · 현에 하나씩 설치되었다. 이에 대한 관리를 수령 7사에 포함시켜 수령의 평가 기준으로 삼았다.

① (가)는 한성에 설치되었다.
② (가)는 풍기 군수 주세붕에 의해 처음 세워졌다.
③ (나)는 흥선 대원군 때 전국에 47개소만 남기고 폐지되었다.
④ (나)에 입학하기 위해서는 생원 또는 진사의 지위를 지녀야 했다.

15. 다음 밑줄 친 '대책'에 해당하는 내용으로 옳은 것을 <보기>에서 모두 고른 것은?

> 양역(良役)의 절반을 감하라고 명하였다. 임금이 명정전에 나아가 말하기를, "결포(結布)는 이미 정해진 세율이 있으니 결코 더 부과하기가 어렵고, 호포(戶布)가 조금 나을 것 같아 1필을 감하고 호전(戶錢)을 걷기로 하였으나 마음은 매우 불쾌하다. … 호포나 결포나 모두 문제가 있기 마련이다. 이제는 1필은 감하는 정사로 온전히 돌아가야 할 것이니, 1필을 감한 <u>대책</u>을 경들은 잘 강구하라."

<보기>
㉠ 원납전을 징수하였다.
㉡ 선무군관포를 거두었다.
㉢ 삼정이정청을 설치하였다.
㉣ 어염선세를 국고로 전환하였다.

① ㉠, ㉡ ② ㉠, ㉢
③ ㉡, ㉣ ④ ㉢, ㉣

16. 다음 밑줄 친 '이 나라'에 대한 설명으로 가장 옳은 것은?

> 정부가 <u>이 나라</u>와 통상 조약을 체결하려 하자 위정척사 운동이 절정에 이르렀다. 전국의 유생들은 정부가 황쭌셴의 『조선책략』에 따라 서양과 통교하려 한다고 여겨 이를 반대하는 상소를 올렸다.

① 운요호 사건을 일으켰다.
② 삼국 간섭에 참여하였다.
③ 외규장각 도서를 약탈하였다.
④ 포츠머스 조약을 중재하였다.

17. 다음 (가) 인물이 집권한 시기에 있었던 사실로 가장 옳은 것은?

> (가) 이/가 정방(政房)을 자기 집에 설치하고 학문하는 선비들을 선발하여 여기에 소속시켰다. 그가 벼슬자리에 올릴 사람을 결정하여 의견을 달아 올리면, 왕은 그 명단에 다만 점을 찍어 임명할 뿐이었다.

① 명종이 즉위하였다.
② 교정도감이 처음 설치되었다.
③ 도방이 처음 조직되었다.
④ 이연년 형제가 난을 일으켰다.

18. 다음 <보기>의 사건 중 첫 번째와 세 번째로 일어난 사건을 순서대로 나열한 것으로 옳은 것은?

<보기>
㉠ 조선과 청은 군신 관계를 맺었다.
㉡ 강홍립의 군대가 명에 파견되었다.
㉢ 서인 세력은 인조를 왕으로 세웠다.
㉣ 가도에 주둔하던 명의 모문룡이 제거되었다.

① ㉠, ㉣ ② ㉡, ㉢
③ ㉡, ㉣ ④ ㉢, ㉠

19. (가)~(라)는 다음의 토지 제도를 처음 시행한 왕이다. (가)~(라) 왕에 대한 설명으로 가장 옳지 않은 것은?

<고려 토지 제도의 변천>

(가) – 역분전
⇩
(나) – 시정 전시과
⇩
(다) – 개정 전시과
⇩
(라) – 경정 전시과

① (가)는 훈요 10조를 남겼다.
② (나)는 사색 공복 제도를 제정하였다.
③ (다)는 강조의 정변으로 폐위되었다.
④ (라)는 이자연의 딸을 왕비로 맞았다.

0. 다음 (가)의 공포일과 (나)의 발표일 사이에 있었던 사실로 가장 옳지 않은 것은?

> (가)
> 제31조 입법권은 국회가 행한다. 국회는 민의원과 참의원으로 구성한다.
> 제55조 대통령과 부통령의 임기는 4년으로 한다. 단, 재선에 의하여 1차 중임 할 수 있다. 대통령이 궐위된 때에는 부통령이 대통령이 되고 잔임 기간 중 재임한다.
> 부 칙 이 헌법 공포 당시의 대통령에 대하여는 제55조 제1항의 단서의 제한을 적용하지 아니한다.
>
> (나)
> 1. 반공을 국시의 제1의로 삼을 것
> 4. 국가 자주 경제 재건에 총력을 기울일 것
> 6. 과업이 성취되면 정권을 이양하고 본연의 임무에 복귀할 준비를 갖출 것

① 진보당 사건이 일어났다.
② 국민 교육 헌장을 제정하였다.
③ 윤보선이 대통령에 당선되었다.
④ 내각 책임제로 헌법이 개정되었다.

1. 다음 (가) 부대에 대한 설명으로 가장 옳은 것은?

> 1931년 12월 (가) 의 지휘부는 길림성 자위군 총지휘관과 만나 연합 전선을 결성할 것을 합의하고, 이듬해 카오펑린 부대와 합작하여 쌍성보를 공격하였다. 연합군은 이 전투에서 많은 물자를 노획하는 성과를 거두었으나 중국인 부대 내부에서 반란이 일어나 후퇴하였다. 전열을 재정비한 연합군은 쌍성보를 다시 공격하여 일본군을 섬멸하였다.

① 지청천의 지휘 아래 활동하였다.
② 흥경성 전투에서 승리를 거두었다.
③ 동북 항일 연군 내 한인들이 결성하였다.
④ 중국 화북에서 조선 의용군으로 개편되었다.

2. 다음 (가)~(다) 사건을 일어난 순서대로 바르게 나열한 것은?

> (가) 진성 여왕 3년 나라 안의 여러 주·군에서 조세와 공물을 보내지 않아 나라의 창고가 텅 비고 씀씀이가 궁핍하게 되었으므로 왕이 사자를 보내어 독촉하였다. 이 때문에 곳곳에서 도적들이 벌떼처럼 일어났다. 이에 원종과 애노 등이 사벌주(상주)를 근거지로 반란을 일으켰다.
> (나) 3월 웅천주 도독 헌창이 그의 아버지 주원이 왕이 되지 못한 것을 이유로 반란을 일으켜 나라 이름을 장안이라 하고 …… 여러 군사가 성을 에워싸고 열흘 동안 공격하여 성이 장차 함락되려 하자 헌창은 화를 면할 수 없음을 알고 스스로 죽었다.
> (다) 이찬 김지정이 난을 일으켜 무리를 모아 궁궐을 에워싸고 침범했다. 여름 4월에 상대등 김양상이 이찬 경신과 함께 군사를 일으켜 김지정 등을 죽였으나, 왕(혜공왕)과 왕비는 반란군에게 살해되었다.

① (가)-(나)-(다)　② (나)-(가)-(다)
③ (다)-(가)-(나)　④ (다)-(나)-(가)

23. 다음 (가), (나) 시기의 사이에 일어난 사실로 가장 옳은 것은?

> (가) 7조 국왕이 백성을 다스림은 집집마다 가서 돌보고 날마다 이를 살피는 것이 아닙니다. 그러므로 수령을 나누어 보내어 가서 백성의 이익과 손해를 살피게 하는 것입니다. … 이제 제가 보건대 향리의 토호들이 늘 공무를 빙자해 백성들을 침해하고 학대하므로 백성들이 명령을 감당하지 못하니, 청컨대 외관을 두소서.
> (나) 서경 임원역의 땅은 음양가들이 말하는 대화세(명당)에 해당합니다. 이곳에 궁궐을 짓고 옮기면 천하를 다스릴 수 있습니다. 또한 금이 예물을 가져와 스스로 항복할 것이요, 주변 서른여섯 나라가 모두 머리를 조아릴 것입니다.

① 만적이 신분 해방 운동을 시도하였다.
② 강감찬이 귀주에서 거란군을 물리쳤다.
③ 노비안검법이 실시되어 양민의 수가 늘어났다.
④ 도평의사사는 중앙의 최고 권력 기구로 기능하였다.

24. 다음 자료가 발표된 정부의 시기에 있었던 사실로 가장 옳은 것은?

> 최근 한국 경제는 대기업 연쇄 부도에 따른 대외 신인도 하락으로 국제 금융 시장에서 단기 자금 만기 연장의 어려움 등 외화 차입의 곤란으로 일시적인 유동성 부족 사태에 직면하게 되었습니다. … 정부는 금융 시장의 안정이 확고히 정착되게 하기 위해 … 국제 통화 기금 자금 지원을 요청하기로 하였습니다.

① 전태일 분신 사건이 일어났다.
② 다문화 가족 지원법이 제정되었다.
③ 경제 협력 개발 기구에 가입하였다.
④ 국민 기초 생활 보장법을 제정하였다.

25. 다음 (가)~(라)를 시기순으로 바르게 나열한 것은?

> (가) 신립이 충주에 이르러 여러 장수의 의견을 따르지 않고 들판에서 싸우려고 하였다. 적의 복병이 아군의 후방을 포위하여 아군이 대패하였다.
> (나) 아군이 왜적을 유인하여 한산 앞바다로 끌어냈다. 아군이 학익진을 쳐 일시에 나란히 진격하며 … 왜적들을 무찌르고 적선 63척을 불살라버렸다.
> (다) 적이 수만 명의 대군을 출동시켜 새벽에 행주산성을 포위하였다. 요새 안이 두려움에 사로잡혔는데, 권율이 거듭 영을 내려 진정시켰다. … 적이 결국 패해 후퇴하였다.
> (라) 국왕의 행차가 서울로 돌아왔으나 성안은 타다 남은 건물 잔해와 시체로 가득하였고, 밖에서는 곳곳에서 도적들이 일어났다.

① (가)-(나)-(다)-(라)　② (나)-(다)-(가)-(라)
③ (다)-(나)-(라)-(가)　④ (라)-(가)-(다)-(나)

수고하셨습니다.
당신의 합격을 응원합니다.

2026 국가직·지방직 공무원 시험 대비

실전동형 봉투모의고사

Vol. 1

한국사

▌ 제1회 ~ 제12회 ▌

정답 및 해설

박문각

2026 공무원 시험 대비 실전동형 모의고사 제1회
한국사 정답 및 해설

1회차 문항분석표

구분	정치	경제	사회	문화
선사	1			
고대	2, 3	4		
중세	5, 6			7
근세	9, 10			
근대 태동기	11			12
근대 개항기	13, 14			15
일제 강점기	17, 19	16	20	
현대	18			
통합형	8			

제1회 모의고사 정답

01 ③	02 ③	03 ③	04 ②	05 ④
06 ②	07 ②	08 ③	09 ②	10 ②
11 ④	12 ④	13 ①	14 ④	15 ②
16 ④	17 ④	18 ④	19 ③	20 ④

01 [동예] ▶ ③

제시된 자료는 동예의 풍습에 대해 설명하고 있다. ③ 동예의 특산물로는 단궁, 과하마, 반어피 등이 있다.

오답해설 ① 옥저에 대한 설명이다. ② 부여와 초기 고구려에 대한 설명이다. ④ 부여의 법률에 대한 설명이다.

개념정리 여러 나라의 성장

구분	부여	고구려	옥저	동예	삼한
위치	만주 송화강	압록강 졸본	함흥평야	강원도(원산만)	한강 이남(진의 성장)
국가	• 연맹 왕국(5부족) • 왕: 지배자 × → 대표자 ○	연맹 왕국	군장 국가: 왕 없음.		• 마한 54 • 변한 12 • 진한 12
정치	• 가(加): 사출도 • 대사자, 사자	• 대가(상가, 고추가) • 사자, 조의, 선인	읍군, 삼로, 후		목지국왕(삼한 대표)
경제	• 반농반목 • 말, 주옥, 모피	• 졸본: 산악 지방 • 약탈 경제(부경)	• 토지 비옥 • 소금, 해산물	• 방직 기술 발달 • 단궁, 과하마, 반어피	• 벼농사 발달 ① 저수지 축조 多 ② 두레 ③ 제천 행사×2회 • 철 多: 변한 → 가야
제천 행사	영고(12월) → 수렵 사회 전통	• 동맹(10월) • 국동대혈	없음.	무천(10월)	수릿날(5월), 계절제(10월)
풍습	• 순장, 흰옷, 형사취수제 • 4조목의 법: 1책 12법	• 서옥제 • 형사취수제 • 1책 12법	• 민며느리제 • 가족 공동묘	족외혼, 책화 → 씨족 사회 풍습 ∵폐쇄적 지형	• 소도(별읍): 천군, 제정 분리 • 군장: 신지, 읍차

02 [연개소문] ▶ ③

제시된 자료는 645년 안시성 전투 과정을 서술한 것으로, 밑줄 친 인물은 당시 고구려의 집권자였던 연개소문을 일컫는다. ③ 642년 연개소문은 정변을 일으켜 영류왕을 제거하고 보장왕을 옹립하였다.

오답해설 ① 보장왕에 대한 설명이다. ② 을지문덕에 대한 설명이다. ④ 광개토 대왕의 정복 활동에 대한 설명이다.

03 [내물 마립간] ▶ ③

제시된 자료는 신라 내물 마립간의 집권 시기에 대해 서술한 것이다. ③ 내물 마립간은 낙동강 동쪽의 진한 지역을 거의 차지하고, 영토를 크게 확장하였다.

오답해설 ①,② 눌지 마립간의 업적에 대한 설명이다. ④ 법흥왕의 통치 체제 정비에 대한 설명이다.

04 [민정 문서] ▶ ②

제시된 자료는 통일 신라의 민정 문서에 대한 내용이다. ② 민정 문서에서 호(가구)는 상상호에서 하하호까지 9등급으로 나누었다.

오답해설 ① 민정 문서는 3년마다 촌주가 작성하였다. ③ 민정 문서의 모든 자료가 촌락을 기준으로 작성되어 있어 통일 신라는 촌락 단위로 조세를 부과하였음을 알 수 있다. ④ 민정 문서에 기록된 내용이다.

05 [고려 인종] ▶ ④

이자겸은 둘째 딸을 예종의 비로 들였으며, 외손자인 인종에게도 자신의 두 딸을 왕비로 맞이하게 하였다. 따라서 빈칸에 들어갈 국왕은 인종이다. ④ 인종 때 김부식 등이 왕명을 받아 『삼국사기』를 편찬하였다.

오답해설 ① 현종 때의 일이다. ② 예종 때의 관학 진흥책에 대한 설명이다. ③ 성종의 업적이다.

06 [견훤] ▶ ②

제시된 자료는 후백제를 세운 견훤의 성장 과정과 관련된 내용이다. ② 후백제의 견훤은 중국과 외교 관계를 맺고, 오월·거란·일본 등에 외교 사절을 파견하였다.

오답해설 ①,③ 왕건(고려 태조)에 대한 설명이다. ④ 무태, 수덕만세 등은 궁예가 사용한 연호들이다.

07 [의천] ▶ ②

제시된 자료는 『대각국사문집』 중 '고려국 오관산 대화엄 영통사 증시 대각 국사비명 병서'의 일부분으로, 밑줄 친 '국사'는 의천이다. ② 의천은 이론의 연마와 실천을 같이 강조하는 교관겸수를 사상적 기반으로 삼았다.

오답해설 ① 혜심, ③ 지눌, ④ 원효에 대한 설명이다.

08 [지역사(평양)] ▶ ③

제시된 자료는 평양 지역에서 전개된 역사적 사실들을 나열한 것이다. ③ 안창호는 평양에 대성 학교를 세워 민족 교육을 실시하였다.

오답해설 ① 익산, ② 대구, ④ 부여에 대한 설명이다.

09 [수령] ▶ ②

제시된 자료는 수령 7사에 대한 내용으로, 수령의 주요 임무를 규정한 것이다. ② 관찰사와 수령에 대한 설명이다. 관찰사나 수령은 권력의 집중과 부정을 방지하기 위해 자기 출신 지역에 부임할 수 없게 하였다.

오답해설 ①,④ 관찰사에 대한 설명이다. ③ 향리에 대한 설명이다.

10 [16세기 정치 상황] ▶ ②

㉢ 1498년 연산군 때 일어난 무오사화와 관련된 내용이다. ㉣ 1504년 연산군 때 일어난 갑자사화에 대한 설명이다. ㉡ 중종 때 조광조를 비롯한 사림 세력들이 추진한 정책들이다. ㉠ 명종 때의 정치 상황에 대한 설명이다.

11 [비변사] ▶ ④

제시된 자료는 효종 때 김익희의 상소문으로, 비변사를 혁파하자고 주장하고 있다. ④ 훈련도감과 속오군에 대한 설명이다. 훈련도감과 속오군은 임진왜란 중에 척계광의 『기효신서』를 참고하여 편성되었다.

오답해설 ① 비변사는 을묘왜변을 계기로 상설 기구로 운영되기 시작하였다. ② 비변사에 대한 설명이다. ③ 비변사는 전·현직 정승들, 5조 판서와 참판, 각 군영 대장, 대제학 등 주요 관직자들이 참여하는 합좌 기관이었다.

12 [정약용] ▶ ④

제시된 자료는 조선 후기 실학자인 정약용이 주장한 토지 개혁론인 여전론의 내용이다. ④ 정약용은 박제가와 함께 종두법을 연구하여 『마과회통』을 저술하였다.

오답해설 ① 홍대용, ② 유수원, ③ 이익에 대한 설명이다.

13 [2차 갑오개혁] ▶ ①

제시된 자료는 『고종실록』에 기록된 '칙령 제1호에서 제8호까지 보고하다.'의 내용으로, 2차 갑오개혁에 대한 내용이다. ① 대한 제국의 광무개혁에 대한 내용이다.

오답해설 ② 2차 갑오개혁 때의 일이다. ③ 2차 갑오개혁 때 의정부를 내각으로 고치고, 8아문을 7부로 개편하였다. ④ 2차 갑오개혁 때 8도의 행정 구역을 23부로 개편하였다.

14 [정미의병] ▶ ④

제시된 자료는 정미의병의 특징에 대해 서술한 것이다. ④ 정미의병 당시 전국의 의병 부대들은 13도 창의군을 결성하고 서울 진공 작전을 단행하였다.

오답해설 ①,② 을사의병 때의 일이다. ③ 을미의병에 대한 설명이다.

15 [근대 문화] ▶ ②

㉡ 1883년의 일이다. ㉢ 1884년 정부는 우정총국을 세워 근대적인 우편 제도를 실시하려 했으나, 갑신정변으로 중단되었다. ㉠ 갑신정변 당시 칼에 맞아 목숨이 위태롭던 민영익을 미국 선교사이자 의사였던 알렌이 살려낸 일이 있었다. 이후 1885년 알렌의 건의로 최초의 서양식 병원인 광혜원이 세워졌다. ㉣ 1899년의 일이다.

16 [물산 장려 운동] ▶ ④

제시된 자료는 물산 장려 운동 당시 만들어져 불렀던 '조선 물산 장려가'이다. '조선 물산 장려가'는 윤석중이 15세 때 지은 노래로, 동포 대신 동모(同母)라는 단어를 쓰면서 민족 경제 자립을 위한 단결을 촉구하였다. ④ 일제는 국채 보상 운동의 중심 인물인 양기탁에게 횡령의 누명을 씌워 구속하는 등 탄압을 가하였다.

오답해설 ①,②,③ 1920년대에 전개된 물산 장려 운동에 대한 설명이다.

17 [1920년대 무장 독립 전쟁] ▶ ④

(가)는 1920년 청산리 전투, (나)는 1925년 미쓰야 협정에 대한 내용이다. ④ 1937년에 소련 당국은 연해주의 한인들을 중앙아시아로 강제 이주시켰다.

오답해설 ① 봉오동·청산리 전투 이후, 무장 독립군은 일본의 공세를 피해 소·만 국경 지대에 집결하였다. 이들은 대한 독립군단을 조직(1920)하고 서일을 총재로 추대하였다. ② 참의부가 조직된 것은 1923년의 일이다. ③ 암태도 소작 쟁의는 1923년의 일이다.

18 [4·19 혁명] ▶ ④

제시된 자료는 1960년 4·19 혁명 당시 대학 교수단이 발표한 시국 선언문이다. ④ 4·19 혁명의 결과, 이승만 대통령이 하야 성명을 발표하고 대통령에서 물러나 하와이로 망명하였다. 이에 허정을 수반으로 하는 과도 정부가 수립되어 양원제와 내각 책임제를 골자로 하는 3차 개헌이 추진되었다.

오답해설 ① 1980년 5·18 광주 민주화 운동 때의 일이다. ② 박정희를 비롯한 일부 군인들이 주도한 5·16 군사 정변에 대한 설명이다. ③ 1987년 6월 민주 항쟁에 대한 설명이다.

19 [대한 광복회] ▶ ③

제시된 자료는 대한 광복회의 강령 내용이다. ③ 의열단에 대한 설명이다.

오답해설 ① 대한 광복회는 공화주의를 표방하였다. ② 대한 광복회에 대한 설명이다. ④ 대한 광복회의 활동에 대한 설명이다.

20 [회사령 존속 시기의 사회 모습] ▶ ④

제시된 법령은 1910년에 제정되었다가 1920년에 폐지된 회사령이다. ④ 조선 식산 은행은 1918년에 일제가 총독부의 경제 정책을 뒷받침하기 위해 설립한 은행이다.

오답해설 ①,② 1920년대 이후의 사회 모습에 대한 설명이다. ③ 경부선 철도는 1904년 완공되어 1905년에 개통·운행을 시작하였다.

2026 공무원 시험 대비 실전동형 모의고사 제2회

한국사 정답 및 해설

2회차 문항분석표

구분	정치	경제	사회	문화
선사	1			
고대	2, 3			4, 10
중세	5, 6			7
근세	8			11
근대 태동기	9		12	
근대 개항기	13, 14	15		
일제 강점기	16, 18			17
현대	19, 20			

제2회 모의고사 정답

01 ③	02 ②	03 ④	04 ④	05 ②
06 ④	07 ③	08 ④	09 ②	10 ①
11 ②	12 ③	13 ②	14 ④	15 ①
16 ④	17 ③	18 ④	19 ①	20 ④

01 [초기 고구려] ▶ ③

제시된 자료는 초기 고구려의 정치 체제에 대한 내용이다. ③ 부여와 초기 고구려는 제가 회의에서 국가의 중요한 일을 결정하였다.

오답해설 ① 부여, ② 동예, ④ 고조선에 대한 설명이다.

02 [대가야] ▶ ②

우륵은 대가야의 음악가로서, 신라 진흥왕 때 신라로 투항하였다. ② 대가야의 이뇌왕은 신라 법흥왕과 결혼 동맹을 맺어 백제를 견제하고자 하였다.

오답해설 ①,④ 금관가야에 대한 설명이다. ③ 금관가야가 주도하는 전기 가야 연맹은 고구려 광개토 대왕의 공격을 받아 거의 몰락하였다.

03 [경덕왕] ▶ ④

성덕왕부터 경덕왕 때까지를 통일 신라 문화의 전성기로 보고 있다. 따라서 빈칸에 들어갈 왕은 경덕왕이다. ④ 경덕왕 때 실시된 한화 정책에 대한 설명이다. 경덕왕은 중앙 관부와 관직의 이름을 중국식으로 바꾸고, 지방 행정 지역의 명칭도 중국식으로 고쳤다.

오답해설 ① 원성왕 때의 일이다. ② 문무왕은 의상으로 하여금 부석사를 창건하게 하였다. ③ 진성 여왕 때의 일이다.

개념정리 신라 중대 국왕들의 업적

왕	주요 업적
신문왕	• 김흠돌의 난을 계기로 귀족 세력 숙청 • 14부의 중앙 통치 조직 완성, 9주 5소경, 9서당 10정 편제, 국학 설립(유학 교육 기관) • 관료전 지급(687), 녹읍 폐지(689)
성덕왕	• 정전 지급, 공자와 그 제자들의 초상화를 국학에 안치(국학의 권위 강화) • 당과의 국교 재개(대동강 이남의 영토에 대한 지배권 인정)
경덕왕	• 중시의 명칭을 시중으로 격상 • 한화 정책: 관직과 지방의 명칭을 중국식으로 변경 • 녹읍 부활, 불국사·석굴암 축조(완성: 혜공왕)
혜공왕	진골 세력의 반란: 대공의 난, 96각간의 난, 김지정의 난

04 [돌무지덧널무덤] ▶ ④

제시된 자료는 신라의 돌무지덧널무덤에 관한 내용이다. ④ 돌무지덧널무덤은 돌로 쌓아 올린 구조로 인해 도굴이 어려웠고, 추가 매장도 쉽지 않았다. 따라서 많은 부장품이 출토되었다.

오답해설 ① 벽돌무덤 등에 대한 설명이다. ② 송산리 6호분과 능산리 1호분에서 사신도 벽화가 발견되었다. 돌무지덧널무덤에서는 벽화가 발견되지 않고 있다. ③ 돌무지무덤에 대한 설명이다.

05 [고려의 정치 제도] ▶ ②

㉠ 어사대의 관원은 중서문하성의 낭사와 함께 대간이라고 불리며 간쟁과 서경 등의 업무를 수행하였다. ㉣ 식목도감은 국왕의 명령과 정책을 법으로 정리·제정하는 임시 기구이다.

오답해설 ㉡ 중서문하성에 대한 설명이다. 중추원은 추밀과 승선으로 구성되었다. ㉢ 고려의 삼사에 대한 설명이다. 한림원은 왕명을 기록하고 외교 문서를 작성하였다.

06 [공민왕] ▶ ④

제시된 자료의 왕은 공민왕이다. ④ 충목왕은 정치도감을 설치하여 권세가들이 불법적으로 차지한 토지와 노비를 조사하여 원래 주인에게 돌려주었다.

오답해설 ①,② 공민왕은 반원 자주 정책을 펼치면서 정동행성의 이문소를 폐지하였다. ③ 공민왕 때 무력을 통해 쌍성총관부를 회복하였다.

07 [요세] ▶ ③

제시된 자료의 밑줄 친 '그'는 요세이다. ③ 요세는 강진 만덕사(백련사)에서 정토 신앙을 적극 수용하여 백련결사를 제창하였다. 요세의 백련결사는 보다 대중적인 신앙 결사였기 때문에 지방민의 적극적인 호응을 얻을 수 있었다.

오답해설 ① 의천은 교·선의 통합을 위해 해동 천태종을 창시하였다. ② 지눌에 대한 설명이다. ④ 균여에 대한 설명이다.

08 [임진왜란] ▶ ④

(가)는 1592년 4월 충주 탄금대 전투에 대한 내용이고, (나)는 1597년 9월 명량 대첩에 대한 내용이다. ④ 이순신이 전사한 노량 해전에 대한 설명으로, 1598년의 일이다.

오답해설 ① 1593년 1월의 일이다. ② 1592년 10월 진주 대첩에 대한 설명이다. ③ 1593년 2월 행주 대첩에 대한 설명이다.

09 [경종] ▶ ②

제시된 자료는 숙종 때의 갑술환국에 대한 내용으로, 밑줄 친 '세자'는 경종을 일컫는다. ② 경종 때 소론이 노론을 역모로 몰아 제거한 신임사화가 일어나 노론이 대거 숙청되었다.

오답해설 ①,③,④ 영조의 업적이다.

10 [고대의 문화재] ▶ ①

① 영광탑은 발해 시대의 탑이다. 고구려는 주로 목탑을 건립했는데, 현재까지 남아있는 것은 없다.

오답해설 ② 삼국 시대에는 미륵보살 반가상이 많이 만들어졌다. ③ 백제의 정림사지 5층 석탑은 부여에 위치한 탑이다. ④ 선덕 여왕은 자장의 건의를 받아들여 황룡사 9층 목탑을 건립했는데, 백제 기술자 아비지의 도움을 받아 세운 목조탑이었다.

11 [『동국통감』] ▶ ②

제시된 자료는 조선 전기의 역사서인 『동국통감』의 서문이다. ② 『동국통감』은 고조선부터 고려 말까지의 역사를 정리한 역사서로, 단군을 민족의 시조로 인식하고 있다.

오답해설 ① 『동국사략』에 대한 설명이다. 『동국통감』은 조선 성종 때 서거정 등이 편찬하였다. ③ 고려의 역사서인 『삼국사기』에 대한 설명이다. ④ 조선왕조실록에 대한 설명이다.

12 [임술 농민 봉기] ▶ ③

제시된 자료는 철종 때 일어난 임술 농민 봉기와 관련된 내용이다. 임술 농민 봉기가 일어나자, 정부는 사태 수습을 위해 박규수를 안핵사로 파견하였다. ③ 임술 농민 봉기는 경상도 진주 지방에서 시작되어 전국적으로 확대되었다.

오답해설 ①,④ 홍경래의 난에 대한 설명이다. ② 교정청은 근대 시기인 고종 때 동학 농민 운동을 계기로 설치된 개혁 기구이다. 임술 농민 봉기는 교정청이 아니라, 삼정이정청이 설치되는 계기가 되었다.

13 [영남 만인소] ▶ ②

제시된 자료는 이만손의 '영남 만인소'이다. ② 2차 수신사로 일본에 다녀온 김홍집이 가지고 온 황쭌셴의 『조선책략』이 유포되자, 이만손 등은 영남 만인소를 올려 『조선책략』과 정부의 개화 정책을 비판하였다.

오답해설 ① 강화도 조약의 체결 배경이 된 운요호 사건에 대한 설명이다. ③ 1873년 흥선 대원군이 물러나고 고종이 친정에 나서면서 기존 통상 수교 거부 정책이 완화되었다. ④ 1871년 신미양요에 대한 설명이다.

14 [독립 협회] ▶ ④

제시된 자료는 독립 협회가 고종에게 올린 헌의 6조의 내용이다. ④ 국가 재정을 탁지아문에서 관할하는 것은 갑오개혁과 관련이 있다. 독립 협회가 발표한 헌의 6조에서는 국가 재정을 탁지부에서 관할할 것을 결의하고 있다.

오답해설 ① 독립 협회는 국민 성금을 모아 청에 대한 사대의 상징인 영은문 자리에 독립문을 건립하였다. ② 독립 협회는 자주 국권 운동을 펼쳐 러시아의 절영도 조차 요구를 철회시켰다. ③ 독립 협회는 자주 국권 운동과 자유 민권 운동, 자강 개혁 운동을 전개하였다.

15 [화폐 정리 사업] ▶ ①

① 제시된 자료는 한국 폐제 개혁에 관한 진정서의 내용으로, 1905년에 실시된 화폐 정리 사업과 관련된 내용이다.

16 [북간도 지역의 독립운동] ▶ ④

제시된 자료는 북간도 지역의 독립운동을 정리한 보고서이다. ④ 북간도 일대에서 결성된 북로 군정서는 서일을 총재로, 김좌진을 군사령관으로 하였다.

오답해설 ①,② 연해주 지역에서 전개된 독립운동에 대한 설명이다. ③ 대조선 국민 군단은 박용만이 하와이에서 조직한 단체이다.

17 [신채호] ▶ ③

제시된 자료는 신채호의 연보이다. ③ 신채호는 민족 중심의 자주적 역사관을 강조했으며, 『조선상고사』 서문에서 역사는 아(我)와 비아(非我)의 투쟁이라고 정의하였다.

오답해설 ① 안재홍에 대한 설명이다. ② 백남운을 비롯한 사회 경제 사학자들에 대한 설명이다. ④ 정인보에 대한 설명이다.

18 [6 · 10 만세 운동] ▶ ④

제시된 자료는 1926년 6 · 10 만세 운동의 준비 과정을 서술한 것이다. ④ 6 · 10 만세 운동을 계기로 국내에서 민족 유일당 운동이 전개되었다. 6 · 10 만세 운동 당시 민족주의 계열과 사회주의 계열의 협력 경험이 민족 유일당 운동의 기폭제가 된 것이다.

오답해설 ① 광주 학생 항일 운동에 대한 설명이다. ② 3 · 1 운동 때의 일이다. ③ 3 · 1 운동의 진압 과정에 대한 설명이다. 헌병 경찰이 활동한 것은 1910년대 무단 통치 시기이기 때문에 시기상 적절치 않은 문장이다.

19 [조선 건국 준비 위원회] ▶ ①

제시된 자료는 조선 건국 준비 위원회에서 발표한 성명문의 내용이다. ① 여운형과 김규식이 중심이 되어 결성된 좌 · 우 합작 위원회에 대한 설명이다.

오답해설 ②,③,④ 조선 건국 준비 위원회에 대한 설명이다.

20 [5 · 18 민주화 운동] ▶ ④

제시된 자료는 1980년 5 · 18 민주화 운동과 관련된 내용이다. ④ 관련 기록물이 유네스코 세계 기록 유산으로 등재된 민주화 운동으로는 4 · 19 혁명과 5 · 18 민주화 운동이 있다.

오답해설 ① 1987년 6월 민주 항쟁 때의 일이다. ②,③ 1960년 4 · 19 혁명에 대한 설명이다.

2026 공무원 시험 대비 실전동형 모의고사 제3회

한국사 정답 및 해설

3회차 문항분석표

구분	정치	경제	사회	문화
선사	8			
고대	9, 10			11
중세	12, 13	15		14
근세	16, 17			19
근대 태동기	18			7
근대 개항기	1, 2, 20			
일제 강점기	3, 4, 5			
현대	6			

제3회 모의고사 정답

01 ④	02 ②	03 ①	04 ①	05 ④
06 ④	07 ③	08 ①	09 ④	10 ③
11 ③	12 ④	13 ④	14 ①	15 ④
16 ②	17 ④	18 ①	19 ②	20 ②

01 [임오군란] ▶ ④

제시된 자료는 임오군란의 도화선이 된 도봉소 사건에 대해 서술한 것이다. 선혜청의 창고인 도봉소에서 지급한 급료의 상태에 분노한 군인들이 임오군란을 일으켰다. ④ 1882년 임오군란이 발발하자 고종은 사태의 수습을 위해 흥선 대원군에게 정권을 넘겨주었다.

오답해설 ① 갑신정변 진압 이후, 조선 정부는 일본과 한성 조약(1884)을 체결하였다. ② 1866년 병인양요 당시 이항로가 척화주전론을 내세우며 서구 열강과의 통상을 반대하였다. ③ 1876년 1차 수신사 파견에 대한 설명이다.

02 [을사의병] ▶ ②

제시된 자료는 1905년에 체결된 을사조약에 규정된 내용으로, 이에 대한 반발로 을사의병이 전개되었다. ② 을사의병 당시 민종식이 충남에서 거병하여 홍주성을 점령하였다.

오답해설 ① 정미의병 때의 일이다. ③,④ 을미의병에 대한 설명이다.

03 [1910년대 무단 통치] ▶ ①

제시된 자료는 1910년대 무단 통치 시기의 일제 정책을 서술한 것이다. ① 일제는 1915년 조선 광업령을 제정하였다.

오답해설 ② 민족 말살 통치 시기인 1938년 국가 총동원법 제정 이후의 일이다. ③ 일제는 1920년대에 들어와 문화 통치의 일환으로 문관 총독을 임명할 수 있게 했지만, 실제로 문관이 총독으로 임명된 적은 없었다. ④ 일제는 민족 말살 통치 시기인 1940년대에 학교와 관공서에서 조선어 사용을 금지하였다.

04 [의열단] ▶ ①

㉠ 의열단은 1919년 만주에서 김원봉, 윤세주 등이 조직한 단체이다. ㉡ '조선 혁명 선언'은 1923년에 작성되었다. ㉢ 1926년에 조직적 무장 투쟁을 위해 김원봉을 비롯한 의열단 단원들은 황포 군관 학교에 입학하였다. ㉣ 1935년의 사실이다.

05 [한국 광복군] ▶ ④

제시된 자료는 '광복 제1권'에 나온 한국 광복군과 관련된 내용이다. ④ 조선 의용군에 대한 설명이다.

오답해설 ① 한국 광복군은 미군과 협조하여 국내 정진군을 편성하고, 이들에게 특수 훈련을 시켰다. ② 한국 광복군에 대한 설명이다. ③ 한국 광복군은 1943년 미얀마와 인도 전선에 일부 대원을 파견하여 영국군과 공동 작전을 전개하였다.

06 [정부 수립 과정] ▶ ④

제시된 자료는 신탁 통치 반대 국민 총동원 위원회의 반탁 시위 선언문이다. ④ 모스크바 3국 외상 회의 결과, 신탁 통치 결정 소식이 국내에 전해지자 우리 민족은 격렬하게 반탁 운동을 전개하였다.

오답해설 ① 김구가 암살된 것은 정부 수립 이후인 1949년의 일이다. ② 미국이 한국 문제를 유엔 총회에 상정한 것은 1947년의 일이다. ③ 미·소 공동 위원회는 신탁 통치 반대 운동 이후인 1946년과 1947년 두 차례 열렸으나, 양측의 입장 차이로 결렬되었다.

07 [조선 후기의 문화] ▶ ③

제시된 자료는 『정조실록』의 기록으로, 조선 후기의 농업 경영 방식에 관한 내용이다. ③ 조선 후기에는 문학의 저변이 서민층까지 확대되면서 한글 소설과 사설시조 등이 유행하였다.

오답해설 ① 15세기 조선 세종 때의 일이다. ② 조선 전기인 성종 때 서거정 등이 삼국 시대부터 조선 초기까지의 뛰어난 시와 산문을 모아 『동문선』을 펴내었다. ④ 안견은 조선 전기인 15세기에 활동한 화가이다.

08 [신석기 시대] ▶ ①

제시된 자료는 신석기 시대의 식생활에 대한 내용이다. ① 신석기 시대에 들어와 농경과 목축이 시작되면서 정착 생활을 하기 시작하였다.

오답해설 ② 민무늬 토기는 청동기 시대에 사용된 토기이다. ③ 구석기 시대에 대한 설명이다. ④ 청동기 시대부터 금속제 무기를 사용하였다.

개념정리 선사 시대

구분	구석기	신석기	청동기
도구	뗀석기, 뼈도구 등	• 간석기 • 가락바퀴, 뼈바늘 • 토기(빗살무늬 토기)	• 간석기(반달 돌칼 등) • 청동제 무기·장신구 사용(비파형 동검 등) • 토기(미송리식 토기, 민무늬 토기)
경제	• 어로, 사냥, 채집 생활 • 이동 생활	• 원시 농경 시작 • 정착 생활 시작	• 농경 발달(사유 재산 등장) • 벼농사 시작
사회	평등 사회	• 평등 사회 • 씨족 중심의 부족 사회 • 족외혼(폐쇄적)	계급과 지배자(군장) 등장
주거	동굴, 바위그늘, 막집	• 강가, 바닷가에 위치 • 움집: 반지하, 원형·장방형, 원형의 화덕(중앙)	• 야산·구릉 등에 위치(배산임수) • 움집: 지상 가옥화, 직사각형, 화덕(벽)
신앙	주술적	원시 신앙(애니미즘·토테미즘·샤머니즘)	선민 사상(정복 전쟁에 이용)
주요 유적지	• 연천 전곡리 • 공주 석장리	• 서울 암사동 • 황해 봉산 지탑리	• 부여 송국리 • 여주 흔암리

09 [4세기 고구려의 정치 상황] ▶ ④

(가)는 1세기 2대 국왕인 유리왕 때의 일이고, (나)는 4세기 말~5세기 초인 광개토 대왕의 정복 활동에 대한 내용이다. ④ 7세기 고구려는 당의 침입에 대비하여 국경에 천리장성을 쌓았다.

오답해설 ① 4세기 소수림왕 때인 373년 율령을 반포하여 중앙 집권 체제를 강화하였다. ② 2세기 고국천왕의 업적이다. ③ 4세기 미천왕 때의 일이다.

10 [6세기 신라] ▶ ③

(가)는 신라 지증왕이고, (나)는 신라 법흥왕이다. ③ 백제 성왕은 중앙에 실무를 담당하는 22부의 관청을 두어 행정을 분담하였다.

오답해설 ① 지증왕은 노동력의 확보를 위해 순장을 금지하였다. ② 지증왕 때의 일이다. ④ 법흥왕의 업적이다.

11 [무령왕릉] ▶ ③

③ 제시된 자료는 무령왕릉에 대한 내용으로, 공주 송산리에서 발견된 백제 무덤이다. 무령왕릉은 중국 남조의 벽돌무덤 양식에 따라 널방을 벽돌로 쌓아 축조되었다.

오답해설 ①,②,④ 모두 신라의 무덤으로, 돌무지덧널무덤 양식으로 만들어졌다.

12 [후삼국 통일 과정] ▶ ④

935년 아들인 신검에게 왕위를 빼앗긴 견훤은 왕건에 귀순했으며, 왕건은 그를 크게 우대하였다. ④ 936년 왕건은 일리천 전투에서 후백제군을 격파하였다.

오답해설 ① 신라 효공왕 때인 901년의 일이다. ② 왕건이 철원에서 자신의 세력 근거지인 송악으로 도읍을 옮긴 것은 고려 건국 다음해인 919년의 일이다. ③ 927년 후백제의 견훤은 신라의 금성을 습격하여 경애왕을 죽이고 돌아갔다.

13 [고려 현종] ▶ ④

제시된 자료는 고려 현종 때 일어난 거란의 3차 침입과 관련된 내용이다. ④ 고려 현종은 지방 제도를 정비하여 전국을 경기와 5도, 양계로 크게 나누었다.

오답해설 ① 광종 때의 일이다. ② 숙종의 업적이다. ③ 성종은 민생 안정책의 일환으로 의창과 상평창을 설치하였다.

14 [상감 청자] ▶ ①

상감 기법으로 만든 도자기는 고려의 상감 청자이다. ① 상감 청자는 강화도에 도읍한 13세기 중엽까지 주류를 이루었으나, 원 간섭기 이후 쇠퇴해 갔다.

오답해설 ② 조선 전기에 유행한 분청사기에 대한 설명이다. ③ 청화백자・옹기 등에 대한 설명이다. ④ 16세기의 백자에 대한 설명이다.

15 [고려의 토지 제도] ▶ ④

④ 제시된 자료는 고려 문종 때 제정된 경정 전시과의 특징을 서술한 내용이다. 경정 전시과는 현직 관리만을 대상으로 관품의 높낮이에 따라 18과로 나누어 지급하였다. 5품 이상의 관리를 대상으로 한 공음전시, 무산계를 소유한 인물들을 대상으로 한 무산계전시 등이 신설되었으며, 무관에 대한 차별이 시정되었다. 그러나 이전 시기보다 토지 지급량이 감소되었다.

16 [세종] ▶ ②

제시된 자료는 세종 때 실시된 사가독서 제도와 관련된 내용이다. ② 세종 때 칠정산이라는 새로운 달력(역법)이 편찬되었다.

오답해설 ① 조선 문종 때의 일이다. ③ 사병 혁파는 태종 이방원이 왕세제로 있었던 정종 때부터 추진한 정책이다. ④ 6조 직계제는 태종과 세조가 실시한 제도이다.

개념정리 조선 전기 국왕들의 업적

왕	내용
태조	• 조선 국호 제정(1393), 한양 천도(1394), 경복궁 건립 • 정도전: 재상 중심의 정치 주장, 『조선경국전』・『불씨잡변』・『진도』 등 저술
태종	• 공신과 외척 세력 제거 • 6조 직계제 실시, 신문고 설치, 유향소 폐지(지방 세력 견제) • 호패법 실시: 인구 파악, 조세와 군역 부과에 활용 • 창덕궁 건립, 혼일강리역대국도지도 제작
세종	• 집현전 육성, 사가독서제 실시, 의정부 서사제 실시 • 공법 시행(연분 9등법, 전분 6등법) • 쓰시마 정벌(이종무), 4군 6진 개척(최윤덕, 김종서), 계해약조 체결 • 훈민정음 반포, 『칠정산』 편찬, 측우기・자격루・간의 등 제작 • 『삼강행실도』, 『향약집성방』, 『의방유취』, 『농사직설』 등 편찬
세조	• 6조 직계제 실시, 집현전과 경연 폐지, 유향소 폐지 • 보법 실시, 5위제 확립, 직전법 실시, 원각사와 원각사지 10층 석탑 건립
성종	• 『경국대전』 반포, 홍문관 설치, 경연 활성화, 유향소 부활, 창경궁 건립 • 『국조오례의』, 『동국여지승람』, 『동문선』, 『동국통감』 등 편찬

17 [조선 시대의 정치 제도] ▶ ④

제시된 자료는 조선 시대의 군사 제도에 대한 내용이다. ④ 승정원이 아니라 홍문관이 담당한 업무들이다. 승정원은 국왕의 비서 기관으로, 왕명을 전달하였다.

오답해설 ① 6조 중 이조에 대한 설명이다. ② 춘추관에 대한 설명이다. ③ 의금부에 대한 설명이다.

18 [영조] ▶ ①

제시된 자료는 영조가 실시한 탕평 정책에 대한 설명이다. ① 영조 때 임오화변(사도 세자가 뒤주에 갇혀 죽은 사건)에 따라 정계는 사도 세자를 동정하는 시파와 영조를 지지하는 벽파로 나뉘어졌다.

오답해설 ② 경종 때의 정치 상황에 대한 설명이다. 영조를 지지한 세력은 노론이다. ③ 숙종 때의 일이다. ④ 숙종 때 일어난 기사환국의 결과에 대한 설명이다.

19 [이황] ▶ ②

이황의 건의에 따라 백운동 서원이 소수 서원으로 사액받을 수 있었다. ② 이황의 사상은 남인 학자들에게 계승되었고, 임진왜란 이후 일본에 전해져 일본의 성리학 발전에 크게 이바지하였다.

오답해설 ①,③ 조식에 대한 설명이다. ④ 이이는 시무 6조계를 올려 10만 양병설을 주장했지만, 받아들여지지 않았다.

20 [조・일 수호 조규(강화도 조약)] ▶ ②

② 조・일 수호 조규에 따라 치외 법권(영사 재판권)이 인정되었다.

오답해설 ① 조・일 수호 조규에는 최혜국 대우가 규정되어 있지 않다. 최초로 최혜국 대우가 규정된 조약은 1882년에 체결된 조・미 수호 통상 조약이다. ③ 조・일 수호 조규 부록에 규정된 내용이다. ④ 조・일 무역 규칙에 대한 설명이다.

2026 공무원 시험 대비 실전동형 모의고사 제4회

한국사 정답 및 해설

4회차 문항분석표

구분	정치	경제	사회	문화
선사				
고대	1, 2, 6		3	
중세	4, 5			7
근세	8, 9			10
근대 태동기	12	11		
근대 개항기	13, 14, 15			
일제 강점기	16, 17, 18			
현대	19, 20			

제4회 모의고사 정답

01 ④	02 ①	03 ③	04 ④	05 ③
06 ②	07 ④	08 ②	09 ②	10 ①
11 ②	12 ②	13 ③	14 ①	15 ③
16 ①	17 ①	18 ③	19 ①	20 ③

01 [발해 문왕] ▶ ④

제시된 자료는 발해 문왕 때의 정치 상황을 서술한 것이다. ④ 발해 문왕은 대흥, 보력 등 독자적인 연호를 사용하였다.

오답해설 ① 발해 선왕 때의 영토 확장에 대한 설명이다. ② 발해 선왕의 업적이다. ③ 발해 무왕 때의 일이다.

02 [선덕 여왕] ▶ ①

제시된 자료는 우리나라 최초의 여왕인 선덕 여왕에 대해 서술한 내용이다. ① 선덕 여왕은 천체 관측을 위해 첨성대를 세웠다.

오답해설 ② 6세기 진흥왕의 업적이다. ③ 4세기 백제 근초고왕 때의 일이다. ④ 6세기 법흥왕 때의 체제 정비에 대한 설명이다.

03 [6두품] ▶ ③

제시된 자료에서 '붉은색(비색) 관복까지 입을 수 있다, 신분 때문에 대아찬에는 오를 수 없다.' 등의 내용을 통해 밑줄 친 인물은 6두품임을 알 수 있다. ③ 진골 출신의 자제들은 화랑이 되어 6두품 이하의 평민들이 포함된 낭도들을 이끌었다.

오답해설 ①,② 6두품에 대한 설명이다. ④ 6두품은 중앙 관부의 장관이나 군대의 장군 등에 오를 수 없는 신분이었다.

04 [원 간섭기의 국왕들] ▶ ④

제시된 자료는 고려의 성리학 수용 과정에 대한 내용으로 (가)는 충렬왕이고, (나)는 충선왕이다. ④ 충선왕 때의 일이다.

오답해설 ① 공민왕의 업적이다. ② 충렬왕 때의 일이다. ③ 원종 때의 일이다.

개념정리 공민왕과 원 간섭기

<table>
<tr><th>왕</th><th colspan="2">내용</th></tr>
<tr><td>충렬왕</td><td colspan="2">• 원의 내정 간섭: 관제 격하, 왕실 호칭 격하, 원나라의 일본 원정에 동원
• 도평의사사 설치(최고 정무 기구), 전민변정도감 설치
• 영토 일부 회복: 동녕부와 탐라총관부 반환 받음.
• 성리학 전래(안향이 원에서 『주자전서』를 베껴옴), 국학을 성균관으로 개칭, 섬학전 설치(양현고의 재정 보충)
• 성균관에 공자 사당인 문묘를 새로 건립
• 『삼국유사』 편찬(일연), 『제왕운기』 편찬(이승휴) 등</td></tr>
<tr><td>충선왕</td><td colspan="2">• 사림원 설치(왕명 출납, 국왕의 고문 역할), 소금 전매제 실시, 수시력 채용
• 왕위를 아들에게 물려준 후 원나라 수도인 연경에 만권당 설치(이제현)</td></tr>
<tr><td>충목왕</td><td colspan="2">정치도감(정리도감) 설치</td></tr>
<tr><td rowspan="3">공민왕</td><td>전반기 개혁</td><td>• 기철 등 친원파 숙청, 원나라 연호와 원나라 풍습 폐지, 관제 복구
• 정동행성 이문소 폐지, 쌍성총관부 회복(철령 이북 땅 되찾음)</td></tr>
<tr><td colspan="2">홍건적의 2차례 침입 → 2차 침입 때 공민왕 피난(안동) → 흥왕사의 변</td></tr>
<tr><td>후반기 개혁</td><td>• 전민변정도감 설치(신돈 등용) → 권문세족 경제 기반 약화, 국가의 재정 수입 확대
• 성균관을 순수 유학 기관으로 개편</td></tr>
<tr><td>우왕</td><td colspan="2">• 왜구 격퇴(홍산 · 진포 · 황산 · 관음포 대첩), 화통도감 설치(최무선)
• 『직지심체요절』을 금속 활자로 간행(청주 흥덕사)
• 명나라, 철령 이북의 땅 요구(철령위 설치) → 최영 주도로 요동 정벌 추진(이성계의 위화도 회군으로 무산)</td></tr>
</table>

05 [고려 예종] ▶ ③

제시된 자료는 고려 예종 때 국자감에 전문 강좌인 7재를 설치한 것과 관련된 내용이다. ③ 숙종은 의천의 건의를 받아들여 화폐 주조 기관인 주전도감을 설치하였다

오답해설 ①,② 예종의 업적이다. ④ 예종 때의 여진 정벌에 대한 설명이다.

06 [백제의 발전 과정] ▶ ②

(가)는 장수왕 때인 427년의 일이고, (다)는 법흥왕 때인 536년의 일이다. ② 무령왕은 지방의 중요 거점에 22담로를 설치하여 왕족을 파견했는데, 무령왕의 재위 기간은 501년부터 523년까지이므로 (나) 시기에 속한다.

오답해설 ① 4세기 침류왕의 업적이다. ③ 3세기 고이왕 때의 정복 활동에 대한 설명이다. ④ 4세기 근초고왕 때의 일이다.

07 [지눌] ▶ ④

제시된 자료는 지눌의 활동에 대한 내용이다. ④ 지눌은 교선 통합을 위해 선종을 중심으로 교종을 포용하여 교 · 선 통합을 완성하였다.

오답해설 ① 의천에 대한 설명이다. ② 혜심에 대한 설명이다. ③ 고려 후기의 승려인 보우에 대한 설명이다.

08 [조선 시대의 과거 제도] ▶ ②

제시된 자료는 조선 시대의 문과 시험에 대한 내용이다. ② 문과 시험에는 3년마다 실시하는 식년시와 부정기 시험인 별시(증광시, 알성시) 등이 있었다. 문과 중 대과는 초시－복시－전시의 3단계 시험을 거쳤는데, 국왕 앞에서 실시하는 전시에서 순위를 결정하였다.

09 [무오사화] ▶ ②

제시된 자료는 연산군 때의 무오사화와 관련된 내용이다. ② 연산군 때 일어난 무오사화로 김종직의 제자인 김일손을 비롯한 다수의 사림 세력들이 숙청되었다.

오답해설 ① 중종 때의 일이다. ③ 연산군 때의 갑자사화와 관련된 내용으로, 무오사화 이후의 일이다. ④ 명종 때의 을사사화와 관련된 내용이다.

10 [조선 성종 때의 문화] ▶ ①

제시된 자료는 조선 성종 때 『국조오례의』 편찬과 관련된 내용이다. ① 성종 때 강희맹이 『금양잡록』을 지어 경기 지방의 농사법을 정리하였다.

오답해설 ② 태종 때의 일이다. ③ 세종 때의 일이다. ④ 간경도감은 세조 때 설치되어 불교 경전을 한글로 번역 · 간행하였다.

11 [조선 후기의 경제] ▶ ②

제시된 자료는 조선 후기 신분제의 동요와 관련된 내용이다. ② 저화는 고려 후기 또는 조선 전기에 만들어진 지폐로, 시기상 적절하지 않다.

오답해설 ① 조선 후기에 활동한 만상은 의주를 중심으로 대청 무역을 주도하였다. ③ 조선 후기의 광산 경영에 대한 설명이다. ④ 보부상은 조선 전 · 후기에 활동한 상인이다.

12 [조선 후기의 정치 상황] ▶ ②

㉢ 효종 때의 나선 정벌에 대한 설명이다. ㉣ 조선 숙종 때 훈련별대와 정초군을 합쳐 금위영을 설치하였다. ㉡ 이인좌의 난은 영조 집권 초기인 1728년에 일어났다. ㉠ 정조 때의 일이다.

13 [동학 농민 운동] ▶ ③

(가)는 1894년 1월에 일어난 고부 민란에 대한 내용이고, (나)는 1894년 5월에 체결한 전주 화약과 관련된 내용이다. ③ 1차 동학 농민 운동 때의 일이다. 1894년 3월에 전봉준은 손화중 등과 함께 전라도 무장에서 봉기하였다.

오답해설 ① 1894년 6월 일본군의 기습 공격으로 청·일 전쟁이 발발하였다. ② 1894년 6월 1차 김홍집 내각이 성립되어 1차 갑오개혁을 추진하였다. ④ 1894년 10월 논산에서 손병희가 이끄는 북접(충청도 동학 농민군)과 전봉준이 이끄는 남접(전라도 동학 농민군)이 집결하였다.

14 [대한 제국] ▶ ①

제시된 자료는 1897년 10월 고종이 국호를 대한 제국으로 선포한 것과 관련된 내용이다. ① 1897년 2월 러시아 공사관에 있던 고종이 경운궁으로 환궁하였다.

오답해설 ② 1899년 대한 제국은 청나라와 한·청 통상 조약을 체결하였다. ③ 1903년의 일이다. ④ 대한 제국은 1901년 지계아문을 설치하여 토지 소유권 증서인 지계를 발급하였다.

15 [개정 조·일 통상 장정] ▶ ③

제시된 자료는 1889년 함경도 관찰사의 방곡령 선포와 관련된 내용이다. ③ 조선은 1883년 개정 조·일 통상 장정을 체결하여 방곡령 선포권을 회복하였다. 이에 따라 함경도, 황해도의 지방관들은 방곡령을 선포할 수 있게 되었다.

16 [임시 정부] ▶ ①

임시 정부의 군자금은 만주의 이륭 양행이나 부산의 백산 상회를 통하여 전달되었다. 따라서 (가)는 임시 정부를 일컫는다. ① 임시 정부는 미국에 구미 위원부를 두고, 대통령 이승만을 중심으로 외교 활동을 전개하였다.

오답해설 ② 신민회에 대한 설명이다. ③ 헌정 연구회 등에 대한 설명이다. ④ 대한 광복군 정부에 대한 설명이다.

17 [1930년대 이후의 일제 정책] ▶ ①

제시된 자료의 (가)에 들어갈 운동은 1932년부터 1940년까지 추진된 농촌 진흥 운동을 일컫는다. ① 1938년 일제는 전쟁 동원을 목적으로 국가 총동원법 제정 이후 국민 정신 총동원 연맹을 조직하였다.

오답해설 ② 1944년의 일이다. ③ 1911년에 제정된 1차 조선 교육령에 규정된 내용이다. ④ 1910년에 제정되어 1920년까지 시행된 회사령에 대한 설명이다.

18 [신간회] ▶ ③

제시된 자료는 민중 대회(광주 학생 항일 운동 진상 보고) 사건의 판결문이다. 신간회는 광주 학생 항일 운동이 일어나자 허헌 등 조사단을 파견하고 민중 대회를 계획했으나, 일본 경찰에게 발각되어 간부들은 체포되었다. ③ 1931년 신간회 해소 이후에 민족주의자들이 전개한 활동에 대한 설명이다.

오답해설 ①,②,④ 신간회에 대한 설명들이다.

개념정리 신간회

구분	내용
조직	• 비타협적 민족주의 세력과 사회주의 세력의 연대 • 창립 대회를 열어 회장에 이상재, 부회장에 홍명희를 선출
강령	• 정치·경제적 각성을 촉구함. • 단결을 공고히 함. • 기회주의를 일체 부인함.
활동	• 일제 강점기 최대 규모의 합법적 민족 운동 단체로 성장: 140여 개의 지회 조직, 4만여 명의 회원 확보 • 민중 계몽, 민족 의식 고취: 강연회 개최, 야학 참여 등 • 각종 사회 운동 지원: 광주 학생 항일 운동 지원, 원산 노동자 총파업 지원, 갑산 화전민 추방에 대한 항의 운동 지원, 단천 산림 조합 시행령 반대 운동 지원 등
해체	• 원인: 일제의 탄압 강화, 신간회 내부 갈등, 코민테른의 노선 변경 • 사회주의 계열에서 해소론 제기 → 비타협적 민족주의 세력의 반대 → 1931년 신간회 해소안 가결

19 [6월 민주 항쟁] ▶ ①

제시된 자료는 '박종철군 고문 살인 조작 은폐 및 호헌 철폐 국민 대회 선언문'의 내용으로, 1987년 6월 민주 항쟁과 관련이 있다. ① 전두환 정권 후반기인 1986년 야당 정치인들과 재야 세력들이 대통령 직선제 개헌 운동을 전개했으며, 부천 경찰서 성고문 사건, 박종철군 고문 치사 사건 등으로 국민들의 분노가 확산되어 가는 상황에서 전두환 정권은 1987년 4·13 호헌 조치를 발표하여 대통령 간선제 헌법을 수호하려 하였다.

20 [여운형] ▶ ③

제시된 자료는 광복 직전 여운형의 활동에 대해 서술한 것이다. ③ 여운형은 김규식 등과 함께 통일 정부 수립을 위해 좌우 합작 위원회를 구성하였다.

오답해설 ① 송진우, 김성수 등에 대한 설명이다. ② 김구와 김규식 등은 1948년 4월에 열린 남북 연석회의를 주도하였다. ④ 김구에 대한 설명이다.

2026 공무원 시험 대비 실전동형 모의고사 제5회

한국사 정답 및 해설

5회차 문항분석표

구분	정치	경제	사회	문화
선사	1			
고대	9			
중세	8, 11		2	
근세	3, 4, 5			10
근대 태동기	6, 7			
근대 개항기	13, 14			15
일제 강점기	16, 18			
현대	19	20		
통합형	17			12

제5회 모의고사 정답

01 ④	02 ④	03 ③	04 ①	05 ②
06 ②	07 ①	08 ②	09 ③	10 ③
11 ①	12 ③	13 ④	14 ③	15 ③
16 ③	17 ②	18 ③	19 ④	20 ④

01 [옥저] ▶ ④

제시된 자료는 옥저에 대한 내용이다. ④ 옥저에서는 사람이 죽으면 가매장했다가 나중에 뼈를 추려서 장례를 치른 후 가족 공동 무덤인 큰 목곽에 안치하는 풍습이 있었다.

오답해설 ① 부여와 초기 고구려, ② 삼한, ③ 동예에 대한 설명이다.

02 [고려의 사회 모습] ▶ ④

제시된 자료의 '부곡인', '몽골어를 익혀 여러 차례 원에 사신으로 가서~' 등의 표현을 통해 밑줄 친 '유청신'은 고려 시대에 활동한 인물임을 알 수 있다. ④ 미륵을 만나 구원받고자 하는 염원에서 향나무를 땅에 묻는 활동을 매향이라고 하며, 이 매향 활동을 하는 무리들을 향도라고 하였다. 고려 시대에 향도는 대규모 인력이 동원되는 불상·석탑·절 등을 지을 때 주도적인 역할을 하였다.

오답해설 ① 발해에 대한 설명이다. ② 조선 후기에 대한 설명이다. ③ 백제의 형벌 제도에 대한 설명이다.

03 [조광조] ▶ ③

소격서의 폐지를 주장한 인물은 조광조이다. ③ 조광조를 비롯한 당시의 사림들은 현량과와 향약의 시행, 경연의 강화, 언론 활동의 활성화, 위훈 삭제, 소격서의 폐지, 소학의 보급, 방납의 폐단 시정 등을 주요 정책으로 삼았다.

오답해설 ① 선조 때 심의겸을 비롯한 기성 사림에 대한 설명이다. ② 산림의 대표적인 인물로는 노론의 송시열, 소론의 윤증 등이 있다. 그리고 산림이 지방의 여론을 주재하여 정치적 영향력을 발휘하는 시기는 조선 후기 이후이다. ④ 김종직은 정몽주와 길재의 학통을 계승했으며, 정여창·김일손·김굉필 등의 제자들을 길렀다.

04 [연산군] ▶ ①

제시된 자료는 연산군 때의 간신인 임사홍에 대한 내용으로, (가)에 들어갈 국왕은 연산군이다. ① 연산군 때 사간원과 홍문관을 일시적으로 폐지하여 군주에 대한 간쟁과 왕이 들어야 할 조언 자체를 차단하였다. 사간원과 홍문관은 중종반정 이후 다시 복구되었다.

오답해설 ② 광해군, ③ 명종, ④ 세조 때의 일이다.

05 [조선 세종] ▶ ②

제시된 자료는 세종 때인 1444년 최만리 등이 올린 훈민정음 반대 상소에 대한 세종의 대응을 담고 있다. 따라서 밑줄 친 '임금'은 세종을 일컫는다. ② 세종은 집현전을 설치하여 학문과 정책 연구를 담당하게 하고, 경연을 활성화하였다.

오답해설 ① 조선 태조(이성계)는 정도전을 중용하였다. ③ 태종의 업적이다. ④ 성종 때의 일이다.

06 [비변사] ▶ ②

제시된 자료는 효종 때 김익희가 올린 상소의 내용으로, 비변사의 기능 확대를 비판하고 있다. ② 흥선 대원군은 비변사의 기능을 축소시켜 사실상 폐지하였다.

오답해설 ① 비변사는 창덕궁 앞에 청사를 두었다. ③ 비변사는 삼포왜란을 계기로 임시 회의 기구로 만들어졌으며, 을묘왜변을 계기로 상설 기구가 되었다. ④ 비변사에 대한 설명이다.

07 [철종] ▶ ①

제시된 자료는 철종 때의 정치 상황에 대해 설명하고 있다. ① 철종 때인 1860년 경주 지방의 몰락 양반이었던 최제우가 동학을 창시하였다.

오답해설 ② 헌종, ③ 순조, ④ 영조 때의 일이다.

08 [궁예] ▶ ②

제시된 자료는 궁예의 성장 과정 등을 담고 있다. ② 궁예는 미륵불을 자칭하면서 전제 정치를 도모하였다. 또한 죄없는 관료와 장군을 살해하는 등 실정을 거듭하여 신하들에 의해 축출되었다.

오답해설 ① 왕건에 대한 설명이다. ③ 왕건 등에 대한 설명이다. ④ 견훤은 서남해안을 지키던 군인으로, 전라도 지방의 군사력을 토대로 성장하였다.

09 [백제 성왕] ▶ ③

제시된 자료는 554년 성왕이 전사한 관산성 전투에 대한 내용으로, 밑줄 친 '왕'은 백제 성왕을 일컫는다. 백제 성왕의 재위 기간은 523년부터 554년까지이다. ③ 백제 성왕 때 노리사치계 등을 일본에 보내 불경을 전해주었다.

오답해설 ① 7세기 백제 의자왕 때인 642년의 일이다. ② 진흥왕 때인 562년의 일로, 이 시기 백제의 국왕은 위덕왕이었다. ④ 7세기 진평왕 때인 608년의 일로, 이 시기 백제의 국왕은 무왕이었다.

개념정리 5세기~7세기 삼국의 항쟁 과정

구분	고구려	백제	신라
5 세기	• 광거토 대왕 거란·후연·동부여·숙신 격파, 왜구 격퇴(신라 구원) 최초 연호: 영락 • 장수왕 평양 천도(427) 한성 점령(475)	• 비유왕 나·제 동맹(433) • 개로왕 한강 유역 상실 • 문주왕 웅진(공주) 천도 • 동성왕 신라와 결혼 동맹(493)	• 눌지왕 나·제 동맹(433) • 소지왕 백제와 결혼 동맹(493)
6 세기	귀족 간의 권력 싸움 → 왕권 약화, 나·제 동맹에 한강 유역 빼앗김.	• 무령왕 22담로 설치, 양나라와 교류 • 성왕 사비 천도(538), 국호: 남부여 일본에 불교 전파(노리사치계, 552) 관산성 전투에서 전사(554)	• 지증왕 신라(국호), 왕(왕호) 우산국 복속 • 법흥왕 율령 반포, 불교 공인, 금관가야 정복 연호: 건원(536) • 진흥왕 화랑도 개편, 황룡사 건립, 『국사』 편찬(거칠부) 한강 차지, 대가야 점령 연호(개국·대창·홍제)
7 세기	• 영양왕 살수 대첩(612) • 영류왕 천리장성 축조 • 보장왕 연개소문 집권 안시성 싸움(645)	• 무왕 미륵사, 익산 천도 추진 • 의자왕 신라의 대야성 등 40여 성 공략	• 진평왕 원광(세속 5계, 걸사표) • 선덕 여왕 첨성대, 황룡사 9층 목탑 • 진덕여왕 나·당 동맹 • 태종 무열왕 백제 멸망 • 문무왕 고구려 멸망 삼국 통일 완성(676)

10 [조선 시대 기록물] ▶ ③

㉡ 조선왕조실록은 역대 제왕의 사적(事蹟)을 편년체로 기록한 책으로, 국왕 사후 편찬이 원칙이었다. ㉢ 시정기는 춘추관에서 각 관청의 업무 기록을 종합하여 편찬한 것으로, 실록을 편찬할 때 기본 자료로 사용되었다. ㉣ 의궤는 조선 시대 왕실이나 국가에 큰 행사가 있을 때 후세에 참고하도록 하기 위하여 그 일의 경과·인원·의식 절차·행사 후의 논상(論賞) 등을 기록해 놓은 책이다.

오답해설 ㉠『승정원일기』에 대한 설명이다. 사초는 실록·일기 등 역사 편찬의 첫 번째 자료로서 예문관의 사관이 기록한 회의록이다.

11 [공민왕] ▶ ①

제시된 자료는 공민왕 때의 쌍성총관부 회복과 관련된 내용이다. ① 공민왕 때 격하되었던 관제가 문종 때의 관제로 다시 회복되었다. 첨의부를 중서문하성과 상서성으로 복구하고, 밀직사는 추밀원으로, 4사는 6부로 복구되었다.

오답해설 ② 충선왕은 왕위를 아들인 충숙왕에게 물려주고 원나라 수도인 연경에 만권당을 세웠다. ③ 공양왕 때의 일이다. ④ 충렬왕 때의 일이다.

12 [조선 시대의 문화재(건축물)] ▶ ③

㉢ 15세기 세종 때 건립되었다. ㉠ 16세기 선조 때 건립되었다. ㉣ 17세기 인조 때 만들어졌다. ㉡ 18세기 말 정조 때 건립되었다.

13 [서양 열강의 침탈] ▶ ④

제시된 자료는 1868년 오페르트가 보낸 서신에 대한 영종 첨사의 회신이다. 밑줄 친 (가)는 독일을 일컫고, (나)는 오페르트 도굴 사건을 칭한다. 1868년 미국은 독일 상인 오페르트를 내세워 제너럴셔먼호 사건에 대한 배상과 통상을 요구했으며, 오페르트는 남연군(흥선 대원군의 아버지)의 묘를 파헤치려고 하였다. ④ 1871년 신미양요 때의 일이다.

오답해설 ① 러시아에 대한 설명이다. ② 프랑스에 대한 설명이다. ③ 1876년 강화도 조약 체결 때의 일이다.

14 [독립 협회] ▶ ③

제시된 자료는 1898년 독립 협회가 개최한 관민 공동회에서 백정 박성춘이 연설한 내용이다. ③ 관민 공동회 이후, 정부는 보부상 단체인 황국 협회의 회원들을 동원하여 독립 협회가 주도한 만민 공동회를 습격하였고, 독립 협회 회원들과 무력 충돌이 벌어졌다.

오답해설 ① 독립 협회는 자주 국권 운동(러시아의 침략 규탄, 이권 수호 운동), 자유 민권 운동(국민 참정권 운동), 자강 개혁 운동(의회 설립 운동)을 전개하였다. ② 독립 협회는 중추원을 개편하여 중추원이 의회 기능을 일부 수행할 수 있도록 시도하였다. ④ 보수파 관료들은 익명서 사건을 조작하여 고종에게 '독립 협회가 황제를 폐위하고 공화국을 세우려 한다.'라고 모함하였다.

15 [근대의 문화 양상] ▶ ③

제시된 자료의 밑줄 친 '손탁 호텔'은 1902년에 설립되었다. ③ 박은식은 1909년 서북학회 월보에 「유교구신론」을 발표하였다.

오답해설 ① 1883년의 일이다. ② 1895년의 일이다. ④ 제물포와 노량진 구간에 경인선이 1899년 최초로 완공되어 운행을 시작하였다.

16 [독립 의군부] ▶ ③

제시된 자료는 1912년에 조직된 독립 의군부에 대한 내용이다. ③ 독립 의군부는 일본 정부의 내각 총리대신과 조선 총독에게 국권 반환 요구서를 보내려고 계획하던 중에 조직이 드러나 실패하고 말았다.

오답해설 ①,④ 1915년에 조직된 대한 광복회에 대한 설명이다. ② 2·8 독립 선언은 독립 의군부 결성 이후인 1919년에 발표되었다. 1919년 2월 일본 유학생들이 발표한 2·8 독립 선언을 계기로 3·1 운동이 일어났다.

17 [지역사(충주)] ▶ ②

제시된 자료의 밑줄 친 '이 지역'은 충주이다. ② 조선 시대(임진왜란 이전) 실록이 보관된 사고가 있던 곳은 한성, 충주, 성주, 전주이다.

오답해설 ① 대구(달구벌)에 대한 설명이다. ③ 안동에 대한 설명이다. 현존하는 가장 오래된 족보는 조선 성종 때 편찬된 '안동 권씨 성화보'이다. ④ 공주에 대한 설명이다.

18 [1930년대의 대한민국 임시 정부 활동] ▶ ③

제시된 자료의 밑줄 친 '브나로드 운동'은 1931년부터 전개되어 1935년에 총독부에 의해 중단되었다. ③ 한인 애국단은 1931년에 창설되어 1932년 이봉창, 윤봉길 의거를 주도하였다.

오답해설 ① 1944년, ② 1941년, ④ 1923년의 일이다.

19 [노태우 정부] ▶ ④

제시된 자료의 빈칸에 들어갈 인물은 노태우이다. ④ 노태우 정부 때 헝가리(1989)를 시작으로 소련(1990년 한·소 수교), 중국(1992년 한·중 수교) 등 사회주의 국가들과 적극적으로 수교하였다.

오답해설 ① 1972년 박정희 정부 때의 일이다. ② 1960년대 박정희 정부 때의 일이다. ③ 이승만 정부 때인 1953년 10월의 일이다.

20 [1970년대 경제 상황] ▶ ④

제시된 자료는 1970년대의 경제 상황을 서술한 내용이다. ④ 1970년대에는 농어촌 환경 개선을 위해 새마을 운동이 전국적으로 전개되었다.

오답해설 ① 1990년대 김영삼 정부 때의 일이다. ② 1950년대 이승만 정부 때의 경제 상황이다. ③ 3저 호황은 1980년대의 경제 상황이다.

2026 공무원 시험 대비 실전동형 모의고사 제6회
한국사 정답 및 해설

6회차 문항분석표

구분	정치	경제	사회	문화
선사	1			
고대	3, 4, 5			
중세	2, 6	9		8
근세	7, 10, 11			
근대 태동기				12
근대 개항기	13, 16			15
일제 강점기	14, 17, 18			19
현대	20			

제6회 모의고사 정답

01 ②	02 ③	03 ②	04 ②	05 ④
06 ①	07 ②	08 ③	09 ②	10 ②
11 ③	12 ④	13 ③	14 ③	15 ③
16 ④	17 ②	18 ②	19 ②	20 ①

01 [동예] ▶ ②

제시된 자료는 동예의 풍속과 제천 행사와 관련된 내용이다. ② 동예의 정치 체제에 대한 설명이다.

오답해설 ① 삼한에 대한 설명이다. ③ 부여에 대한 설명이다. ④ 고구려의 경제에 대한 설명이다.

02 [고려 전기의 정치 상황] ▶ ③

(가)는 고려 2대 국왕 혜종 때 일어난 왕규의 난에 대한 내용이고, (나)는 고려 5대 국왕 성종 때 경학박사와 의학박사 파견과 관련된 내용이다. ③ 고려 태조 때 신라 마지막 왕인 경순왕을 사심관으로 삼았는데, 이것이 사심관 제도의 시작이었다.

오답해설 ① 고려 4대 국왕인 광종의 인재 등용에 대한 설명이다. ② 광종 때 사용된 연호들이다. ④ 고려 3대 국왕인 정종 때의 일이다.

03 [발해 선왕] ▶ ②

제시된 자료는 발해 선왕 때의 영토 확장에 대해 서술한 내용이다. ② 발해 선왕은 건흥이라는 독자적인 연호를 사용하였다.

오답해설 ① 백제 무왕 때의 일이다. ③ 신라 경덕왕 때 국학의 명칭을 태학감이라고 고쳐 유교 교육을 강화하였다. ④ 발해 성왕 때의 일이다.

04 [김춘추(태종 무열왕)] ▶ ②

제시된 자료는 654년 진덕 여왕이 사망하자, 형식상 알천을 중심으로 하는 귀족들의 추대를 받아 김춘추가 진골 출신으로는 최초로 왕위에 오르는 것과 관련된 내용이다. ② 신라 지증왕의 업적이다.

오답해설 ① 김춘추(태종 무열왕)는 최초의 진골 출신 국왕이다. ③ 백제 의자왕의 공격으로 위기에 빠진 신라(선덕 여왕)는 김춘추를 고구려에 보내 군사적 도움을 요청하였다. 그러나 고구려는 죽령 서북, 즉 한강 유역의 땅을 돌려줄 것을 요구하며 신라의 요청을 거절하였다. ④ 선덕 여왕 말년에 상대등 비담과 염종 등이 반란을 일으켰으나, 김춘추와 김유신 등이 이를 진압하였다.

05 [근초고왕] ▶ ④

제시된 자료는 백제 근초고왕 때의 평양성 전투에 대한 내용이다. ④ 근초고왕 때 왕명에 따라 박사 고흥이 『서기』를 편찬하였다.

오답해설 ① 백제 문주왕 때의 일이다. ② 백제 고이왕의 관제 정비에 대한 설명이다. ③ 6세기 백제 무령왕·성왕 때의 대외 관계에 대한 설명이다.

06 [충렬왕] ▶ ①

제시된 자료는 충렬왕 때 섬학전이라는 장학 재단을 설치한 것과 관련된 내용이다. ① 충렬왕 때 동녕부를 원나라에 요청하여 반환받았다.

오답해설 ② 공민왕의 반원 정책에 대한 설명이다. ③ 쌍성총관부는 고려 고종 때인 1270년에 설치되었다. ④ 충선왕의 업적이다.

07 [조선 선조] ▶ ②

제시된 자료는 조선 선조 때 일어난 정여립 모반 사건과 관련된 내용이다. ② 선조 때 이조전랑 임명 문제를 둘러싸고 사림 세력이 동인과 서인으로 분당되었다.

오답해설 ① 세종 때의 일이다. ③ 명종 때의 정치 상황이다. ④ 광해군 때의 일이다.

08 [고려 후기의 문화] ▶ ③

제시된 자료는 고려 후기 문익점의 목화 전래에 대한 내용이다. ③ 고려 후기인 충목왕 때 원나라의 영향을 받아 경천사 10층 석탑이 건립되었다.

오답해설 ① 6세기 진흥왕 때의 일이다. ② 8세기 통일 신라 때의 일이다. ④ 화엄사 각황전은 조선 후기에 지어진 불교 건축물이다.

09 [고려의 경제] ▶ ②

제시된 자료는 고려의 대외 교류에 관한 내용이다. ② 고려 시대에 밭농사에서 2년 3작의 윤작법이 전래되어 보리, 콩, 조 등을 돌려가며 농사지었다.

오답해설 ① 조선 전기의 경제 상황이다. ③ 통일 신라 때의 일이다. ④ 조선 후기의 경제에 대한 설명이다.

10 [조선의 삼사] ▶ ②

제시된 자료의 (가)는 조선 시대의 삼사를 일컫는다. ② 예문관은 임금의 교지를 작성하는 역할을 하였다.

오답해설 ①,③ 조선의 삼사에 대한 설명이다. ④ 이조전랑은 삼사의 관리에 대한 인사를 좌우할 수 있었다.

11 [정묘호란] ▶ ③

제시된 자료에서 설명하고 있는 역사적 사건은 '광해군을 위하여 보복', '후금' 등을 통해 정묘호란임을 알 수 있다. ③ 정묘호란 때 조선과 후금은 형제의 맹약을 체결하는 조건으로 화의를 맺었다.

오답해설 ① 병자호란의 결과, 조선은 청과 군신 관계를 맺었으며 소현 세자와 봉림 대군, 김상헌 등이 청나라에 인질로 끌려갔다. ② 임진왜란 때의 일이다. ④ 병자호란 때의 일이다.

개념정리 정묘호란과 병자호란

구분	내용
정묘호란	• 원인: 친명배금 정책(후금 자극), 이괄의 난(잔당들이 후금에 투항) • 후금의 침략(광해군 복수를 명분으로 내세움.) → 국왕 일행의 강화도 피난, 정봉수(철산 용골산성)와 이립(의주)의 활약 • 화의: 형제 관계 맺음.
병자호란	• 원인: 청의 군신 관계 요구 • 주전파(김상헌) vs 주화파(최명길): 국론이 주전으로 기울. • 청 태종의 침입(빠른 남진으로 강화도로 가는 길 막음.) → 인조의 남한산성 피난, 45일간 항전 • 삼전도의 굴욕(삼배구고두례, 삼전도비), 화의(군신 관계)
결과	북벌론 대두: 효종의 1차 북벌론(서인), 숙종의 2차 북벌론(남인)

12 [김홍도] ▶ ④

제시된 자료는 조선 후기에 활동한 화가 김홍도의 행적을 서술한 것이다. ④ 김홍도는 농민이나 수공업자 등 평민들의 일상 생활의 여러 측면을 간결하고 익살스러우며 사실적으로 표현하였다.

오답해설 ① 김정호, ② 정선, ③ 이광사에 대한 설명이다.

13 [을사늑약] ▶ ③

제시된 자료는 을사늑약 체결 직후 최익현이 올린 상소문으로, 을사늑약의 부당성을 지적하고 을사오적을 벌할 것을 요청하고 있다. 따라서 이 상소문과 관련있는 조약은 을사늑약이다. ③ 1905년 을사늑약의 체결에 따라 1906년 통감부가 설치되었고, 초대 통감으로 이토 히로부미가 부임하여 대한 제국의 내정을 간섭하였다.

오답해설 ① 1910년에 체결된 한・일 병합 조약에 대한 설명이다. ② 1904년에 체결된 한・일 의정서와 1차 한・일 협약에 대한 설명이다. ④ 1907년에 체결된 한・일 신협약에 대한 설명이다.

개념정리 국권 피탈 과정

러・일 전쟁(1904. 2.)	대한 제국 대외 중립 선언(1904. 1.), 일본의 뤼순항 선제 공격
한・일 의정서(1904. 2.)	군사 요지(전략상 필요한 지점) 점령권, 대한 제국에 대한 충고권, 황실과 영토 보전 약속
제1차 한・일 협약(1904. 8.)	고문 정치 → 재정 고문(메가타), 외교 고문(스티븐스) 등
열강들의 묵인	• 7月 미국: 가쓰라・태프트 밀약 • 8月 영국: 제2차 영・일 동맹 • 9月 러시아: 포츠머스 강화 조약(러・일 전쟁에서 일본 승리) → 각 열강들에게 한국에 대한 지배권을 승인받음.
을사조약(1905)	통감 정치, 일본이 대한 제국의 외교권 대행, 통감부 설치(1906) → 보호국화
고종 퇴위(1907)	헤이그 특사 파견을 계기로 고종 강제 퇴위, 순종 즉위
한・일 신협약(1907)	• 차관 정치(일본인 차관), 통감의 권한 강화 • 부속 협약 체결(군대 해산)
신문지법과 보안법(1907)	신문지법(언론 탄압), 보안법(집회・결사 금지)
기유각서(1909)	사법 자주권과 감옥 사무권 빼앗김.
경찰권 박탈(1910. 6.)	대한 제국은 치안권 상실
한・일 병합 조약(1910. 8.)	일본이 대한 제국을 병합(국권 피탈) → 총독부 설치

14 [일제 강점기의 정치 상황(신간회)] ▶ ③

제시된 자료는 1931년 신간회 해소 과정과 관련된 내용으로, 신간회는 1927년부터 1931년까지 존속하였다. ③ 혁신 의회는 1928년에 조직되어 북만주 일대에서 활동하였다.

오답해설 ① 의열단원인 김상옥이 종로 경찰서에 폭탄을 투척한 것은 1923년의 일이다. ② 1914년의 일이다. ④ 1913년의 일이다.

15 [육영 공원] ▶ ③

제시된 자료는 호머 헐버트의 활동 내역을 서술한 것으로, 헐버트는 육영 공원의 교사로 활동하였다. ③ 육영 공원은 젊은 관리나 고위 관리들의 자제를 대상으로 근대 학문을 가르쳤다.

오답해설 ① 이화 학당에 대한 설명이다. ② 원산 학사에 대한 설명이다. ④ 육영 공원은 1886년에 설립되었고, 교육 입국 조서는 1895년에 발표되었기 때문에 시기상 적절치 않다.

16 [흥선 대원군] ▶ ④

④ 당백전 발행은 경복궁 중건 비용을 마련하기 위해 실시한 정책으로, 환정 개혁과는 관련이 없다.

오답해설 ①,② 흥선 대원군은 전정 개혁을 위해 양전 사업을 실시하고, 토지 대장에서 누락된 토지를 찾아내 세금을 징수하였다. ③ 흥선 대원군은 군정 개혁을 위해 종래 상민에게만 부과하던 군포를 양반에게도 부과하는 호포제를 실시하였다.

17 [한국 광복군] ▶ ②

제시된 자료는 인도・미얀마 전선에 파견된 한국 광복군의 활약을 서술한 것이다. ② 한국 광복군은 1942년 김원봉의 조선 의용대 병력 일부를 흡수하여 군사력을 더욱 강화하였다.

오답해설 ① 1930년대 만주에서 활동한 조선 혁명군에 대한 설명이다. ③ 김좌진의 북로 군정서군 등을 비롯한 1920년대 만주의 독립군 부대들에 대한 설명이다. ④ 1938년에 조직된 조선 의용대에 대한 설명이다.

18 [산미 증식 계획] ▶ ②

② 제시된 자료는 산미 증식 계획의 결과 한국의 식량 사정이 극도로 악화된 상황을 보여주고 있다.

19 [정인보] ▶ ②

제시된 자료는 일제 강점기의 역사학자 정인보의 활동을 정리한 것이다. ② 정인보는 『조선사연구』를 저술하여 한사군의 영역, 임나일본부설의 허구성, 광개토 대왕릉비문 연구 등을 다루었다.

오답해설 ① 박은식이 쓴 책이다. ③ 신채호의 저서이다. ④ 백남운이 저술하였다.

20 [개헌 과정] ▶ ①

제시된 자료는 1차 개헌(발췌 개헌, 1952~1954)의 내용이다. ① 1954년 5월의 제3대 국회 민의원 선거에서 자유당은 관권의 개입으로 압승하고 야당은 참패하였다. 그리고 이후 자유당 정부는 2차 개헌을 추진하였다.

오답해설 ② 제헌 국회(1대 국회)는 1948년 9월 반민족 행위 처벌법을 제정하였다. ③ 1960년 3차 개헌에 따라 장면 내각이 출범하였다. ④ 3차 개헌은 1960년 4・19 혁명 직후 허정 과도 정부가 추진하였다.

2026 공무원 시험 대비 실전동형 모의고사 제7회

한국사 정답 및 해설

7회차 문항분석표

구분	정치	경제	사회	문화
선사	10			
고대	9, 11, 12			
중세	13, 14			
근세	15, 17, 18			
근대 태동기	19	20	16	
근대 개항기	2, 7	5		
일제 강점기	1, 3, 6			4
현대	8			

제7회 모의고사 정답

01 ③	02 ④	03 ②	04 ①	05 ③
06 ②	07 ③	08 ④	09 ③	10 ②
11 ②	12 ②	13 ④	14 ③	15 ④
16 ③	17 ②	18 ④	19 ①	20 ①

01 [1940년대 정치 상황] ▶ ③

일제는 1937년 황국 신민의 서사를 만들어, 이후 일본어로 이를 암송하게 하였다. ③ 1926년 의열단의 의거 활동에 대한 설명이다.

오답해설 ① 1941년의 일이다. ② 1941년의 일이다. ④ 중·일 전쟁과 태평양 전쟁 이후, 전선이 확대되자 일제는 공출 제도를 실시하여 무기를 만들 수 있는 금속 제품이라면 놋그릇, 농기구, 불상까지도 가리지 않고 빼앗았다.

02 [신민회] ▶ ④

제시된 자료에서 (가)에 들어갈 단체는 신민회이다. ④ 신민회는 국권의 회복과 공화정체의 국민 국가 건설을 목표로 삼았다.

오답해설 ① 헌정 연구회와 대한 자강회 등에 대한 설명이다. 신민회는 총독부가 날조한 105인 사건으로 해산되었다. ② 대한 자강회에 대한 설명이다. ③ 보안회에 대한 설명이다.

03 [한인 애국단] ▶ ②

제시된 자료는 김구가 쓴 『백범일지』의 내용으로, 밑줄 친 '이 단체'는 한인 애국단을 일컫는다. ② 이봉창과 윤봉길은 한인 애국단의 단원으로 의거 활동을 하였다.

오답해설 ① 독립 의군부 등에 대한 설명이다. ③ 강우규는 대한 노인단의 단원이다. ④ 의열단 등에 대한 설명이다. 한인 애국단은 1931년에 조직되었기 때문에 시기상 적절하지 않다.

04 [박은식] ▶ ①

제시된 자료는 박은식의 『한국통사』이다. ① 박은식은 1908년에 서북학회의 회장이 되어 기관지 『서북학회월보』의 주필로 활동하였다.

오답해설 ② 이승만, ③ 백남운, ④ 신채호에 대한 설명이다.

05 [근대의 경제] ▶ ③

제시된 자료는 1904년 보안회가 조직되어 황무지 개간 반대 운동을 전개한 것과 관련된 내용이다. ③ 1905년 재정 고문 메가타의 주도로 화폐 정리 사업이 실시되었다.

오답해설 ① 1883년 개정 조·일 통상 장정에 따라 방곡령 선포권이 회복되었다. 이에 따라 1894년까지 지방관들은 방곡령을 여러 차례 선포하였다. ② 1882년의 일이다. ④ 대한 천일 은행은 1899년에 설립되었다.

06 [무장 독립 전쟁] ▶ ②

㉠ 경학사는 1911년 남만주에 설립된 최초의 자치 단체이다. ㉢ 1918년의 일이다. ㉡ 1919년 신흥 강습소가 신흥 무관 학교로 개편되었다. ㉣ 1923년의 일이다.

07 [흥선 대원군] ▶ ③

제시된 자료는 흥선 대원군에 대한 내용이다. 흥선 대원군은 1863년에 집권하여 1873년에 하야하였다. ③ 흥선 대원군 하야 이후인 1881년 민씨 정권에서 추진한 군제 개편에 대한 설명이다.

오답해설 ① 흥선 대원군은 만동묘를 비롯한 폐단이 큰 서원들을 철폐하였다. ② 흥선 대원군 때 실시된 호포법에 따라 군포를 개인이 아닌 호 단위로 거두었다. ④ 흥선 대원군의 재위 기간인 1864년 동학 교주인 최제우를 혹세무민의 죄목으로 처형하였다.

개념정리 **흥선 대원군의 개혁 정치**

왕권 강화	인재 등용	안동 김씨 세력 축출, 사색당파의 인재를 고루 등용
	비변사 폐지	비변사 사실상 폐지 ↔ 의정부와 삼군부의 기능 회복
	법전 편찬	『대전회통』, 『육전조례』 편찬 → 통치 체제 재정비
	경복궁 중건	• 왕실의 위엄을 높이기 위해 경복궁 중건 • 공사 비용 마련: 원납전 강제 징수, 당백전 남발(물가 폭등 초래), 청나라에서 청전(淸錢) 수입하여 유통, 결두전, 통행세 등 • 양반의 묘지림 벌목, 백성들을 강제로 공사에 동원
민생 안정	삼정의 문란 시정	• 전정: 양전 실시(은결 색출), 지방관과 토호의 토지 겸병 금지 • 군정: 호포법(양반에게 군포 징수) → 군포를 개인이 아니라 호 단위로 부과 • 환곡: 지방관이 아니라 지역민이 자치적으로 운영(중간 수탈 배제)
	서원 철폐	• 배경: 서원은 면세·면역의 특권 누리며 인근 백성들을 수탈 • 과정: 47개의 사액 서원만 남기고 600여 개의 서원과 만동묘(명나라 황제 제사) 철폐, 서원 소속의 토지와 노비 몰수(국가 재정 확충)

08 [현대의 정치] ▶ ④

제시된 자료는 1961년 5·16 군사 정변의 과정을 서술한 내용이다. ④ 1960년 새 헌법(3차 개헌)에 따라 실시된 7·29 총선에서 자유당이 몰락하고 야당인 민주당이 압승하였다. 1960년 8월 새로 구성된 양원제 국회(민의원·참의원)에서 대통령에 윤보선, 국무총리에 장면을 선출하면서 이에 장면 내각이 성립되었다.

오답해설 ① 1965년의 일이다. ② 1972년 7·4 남북 공동 성명에 따라 남북 조절 위원회를 설치하여 통일 문제를 협의하고자 하였다. ③ 김영삼 정부 때의 일이다.

09 [중원 고구려비] ▶ ③

③ 제시된 자료는 고구려가 남한강 유역 진출을 기념하여 세운 중원 고구려비에 대해 서술한 것이다. 이 비석을 통해 고구려의 신라 압박 사실을 확인할 수 있으며, 고구려가 신라를 동이라고 낮추어 불렀음을 알 수 있다.

10 [부여] ▶ ②

밑줄 친 '이 나라'는 부여이다. ② 부여에서는 매년 12월에 영고라는 제천 행사를 열었다.

오답해설 ① 삼한, ③ 고구려, ④ 동예에 대한 설명이다.

11 [진흥왕] ▶ ②

제시된 자료는 진흥왕 때 화랑도 개편과 관련된 내용이다. ② 진흥왕 때 한강 유역 전체를 차지하였다.

오답해설 ① 지증왕 때의 일이다. ③ 법흥왕 때 건립된 울진 봉평비를 통해 이 시기에 울진 지역이 새로 영토에 편입되었음을 알 수 있다. ④ 법흥왕 때의 일이다.

12 [신라 하대의 정치 상황] ▶ ②

(가)는 9세기 전반 헌덕왕 때의 김헌창의 난과 관련된 내용이고, (나)는 9세기 후반 진성 여왕 때 일어난 원종과 애노의 난에 대한 내용이다. ② 9세기 중반 흥덕왕 때 해적 소탕을 위해 완도에 청해진을 설치하였다.

오답해설 ① 혜공왕이 살해된 것은 8세기인 780년의 일이다. ③ 문무왕의 업적이다. ④ 7세기 진덕 여왕 때 처음으로 당나라 연호를 사용하였다.

13 [고려 성종] ▶ ④

제시된 자료는 성종 때 최승로가 올린 시무 28조의 내용이다. ④ 성종은 중앙 관제를 정비하여 2성 6부제를 토대로 한 통치 조직을 수립하였다.

오답해설 ① 광종 때의 대외 관계에 대한 설명이다. ② 고려 태조 때 청천강 유역에서 영흥만까지 영토를 넓혔다. 성종 때에는 압록강 유역까지 영토를 확장하였다. ③ 광종에 대한 설명이다.

14 [고려의 지방 제도] ▶ ③

㉢ 고려는 북쪽 국경 지대에 양계(동계와 북계)를 두어 경계를 강화하였다. ㉣ 고려의 지방 제도에 대한 설명이다.

오답해설 ㉠ 조선 시대의 지방 행정 구역에 대한 설명이다. 조선은 고을을 그 크기에 따라 부, 목, 군, 현으로 나누었다. ㉡ 고려는 일반 행정 구역인 5도에 안찰사를 파견하였다. 병마사는 군사 행정 지역인 양계에 파견되었다.

15 [이성계] ▶ ④

제시된 자료는 고려 우왕 때 이성계(조선 태조)의 황산 대첩에 대한 내용이다. ④ 조선 태조(이성계) 때 천문도인 천상열차분야지도가 제작되었다.

오답해설 ① 고려 창왕 때의 일이다. ② 고려 충렬왕 때의 일이다. ③ 고려 우왕 때 최무선의 건의에 따라 화통도감을 설치하였다.

16 [천주교] ▶ ③

㉣ 17세기 광해군 때 이수광은 『지봉유설』에서 천주교를 소개하였다. ㉢ 정조 때 천주교 신자인 윤지충이 조상의 신주를 불태우면서 신해박해가 일어났다. ㉠ 순조 때 신유박해가 일어나 수많은 천주교도들이 처형되자, 천주교도인 황사영은 베이징의 프랑스 선교사에게 도움을 요청하려다 발각되었다(황사영 백서 사건). ㉡ 헌종 때 병오박해가 일어나 우리나라 최초의 신부인 김대건이 처형되었다.

17 [태종] ▶ ②

제시된 자료는 태종 때 6조 직계제 실시에 대한 내용으로, 밑줄 친 인물은 태종을 일컫는다. ② 태종은 낭사를 사간원으로 독립시켜 신권을 견제하도록 하였다.

오답해설 ① 조선 태조 때의 일이다. ③ 세종 때의 영토 확장에 대한 설명이다. ④ 성종의 업적이다.

18 [동인] ▶ ④

선조 때 김효원을 지지하는 세력이 모여 동인을 형성하였다. ④ 선조 때 김효원 등 신진 사림이 중심이 된 동인은 개혁에 적극적이었다.

오답해설 ①,③ 서인에 대한 설명이다. ② 북인에 대한 설명이다.

19 [숙종] ▶ ①

제시된 자료는 숙종 때 건립된 백두산정계비와 관련된 내용이다. ① 세종 때 잡색군을 설치하였다.

오답해설 ②,③,④ 숙종 때의 일들이다.

20 [대동법] ▶ ①

제시된 자료는 대동법 실시에 따른 결과와 영향을 서술한 것이다. ① 대동법에 따라 현물 대신 토지 1결당 쌀 12두를 거두었다.

오답해설 ②,③ 균역법에 대한 설명이다. ④ 세종 때 만들어진 공법의 시행 과정에 대한 설명이다.

2026 공무원 시험 대비 실전동형 모의고사 제8회

한국사 정답 및 해설

8회차 문항분석표

구분	정치	경제	사회	문화
선사	9			
고대	10, 11, 12			20
중세	13, 14			
근세	15, 16			
근대 태동기	17		18	19
근대 개항기	1, 2			5
일제 강점기	3, 4			
현대	6, 7	8		

제8회 모의고사 정답

01 ②	02 ②	03 ③	04 ①	05 ②
06 ④	07 ①	08 ③	09 ②	10 ③
11 ②	12 ③	13 ④	14 ③	15 ②
16 ④	17 ③	18 ②	19 ④	20 ③

01 [근대의 개혁안] ▶ ②

㉠ 1884년 갑신정변 때 발표된 14개조 정강의 내용이다. ㉢ 1894년 1차 갑오개혁 때의 일이다. ㉡ 1895년 을미개혁 때 추진된 정책들이다. ㉣ 대한 제국은 황제 직속 궁내부 산하 내장원의 기능을 강화시켜, 광산·철도·홍삼 등의 수입을 관리하게 하였다.

02 [한·일 의정서] ▶ ②

제시된 자료는 1904년 2월에 체결된 한·일 의정서의 내용이다. ② 한·일 의정서는 전쟁 수행에 필요한 경우 일본이 대한 제국의 영토를 마음대로 사용할 수 있도록 한다는 것이 주요 내용이었다.

오답해설 ① 1904년 8월에 체결된 1차 한·일 협약의 내용이다. ③,④ 1905년에 체결된 을사늑약에 대한 설명이다.

03 [1930년대 무장 독립 투쟁] ▶ ③

1930년대 남만주에서는 양세봉의 조선 혁명군이 영릉가, 흥경성에서 일본군을 맞아 전과를 올렸다. 북만주에서는 지청천이 이끄는 한국 독립군이 쌍성보, 사도하자 등지에서 일본군을 격파하였다. 이후 일본군의 토벌 작전이 본격화되면서 한국 독립군은 임시 정부의 요청으로 중국 본토로 이동하였다.

04 [광주 학생 항일 운동] ▶ ①

제시된 자료는 광주 학생 항일 운동의 원인과 의의를 정리한 것이다. ① 광주 학생 항일 운동은 광주에서 시작되어, 서울을 비롯한 전국으로 확산되었다.

오답해설 ②,④ 3·1 운동에 대한 설명이다. ③ 6·10 만세 운동과 관련된 내용이다.

05 [대종교] ▶ ②

제시된 자료는 『유방집』에 기록된 내용으로, 대종교를 창시한 나철의 행적을 서술한 것이다. ② 나철은 단군 신앙을 바탕으로 대종교를 창시하여 민족의 위기를 극복하기 위해 노력하였다.

오답해설 ① 배재 학당은 기독교(개신교) 선교사인 아펜젤러가 세운 학교이다. ③ 천도교는 『개벽』, 『신여성』, 『어린이』 등의 잡지를 간행하여 민중의 계몽과 근대 문물의 보급에 기여하였다. ④ 천주교에 대한 설명이다.

06 [6·25 전쟁] ▶ ④

제시된 자료는 6·25 전쟁 당시 피난민의 애환을 담은 노래 '이별의 부산 정거장'에 대해 서술하고 있다. 6·25 전쟁은 1950년 6월에 발발하여, 1953년 7월에 휴전되었다. ④ 1948년 제헌 국회에서 이승만이 대통령으로 선출되었다.

오답해설 ① 1952년 7월의 일이다. ② 1950년 9월의 일이다. ③ 1951년 12월 부산에서 자유당을 창당하여 이승만의 지지 세력을 결집하였다.

07 [김영삼 정부] ▶ ①

제시된 자료는 14대 대통령인 김영삼 대통령의 취임사 내용이다. ① 김영삼 정부 시기인 1996년에 경제 협력 개발 기구(OECD)에 가입하였다.

오답해설 ②,③ 전두환 정부, ④ 김대중 정부 때의 일이다.

08 [농지 개혁법] ▶ ③

밑줄 친 '이 법령'은 남한의 농지 개혁법이다. 농지 개혁법은 이승만 정부 시기인 1949년에 제정되어 1950년부터 실시되었다. ③ 남한의 농지 개혁법에 따라 호당 3정보를 토지 소유의 상한선으로 정하고, 3정보 이하 농지는 매수 대상에서 제외하였다.

오답해설 ① 남한의 농지 개혁은 임야와 산림을 제외한 농지를 대상으로 하였다. ② 북한의 토지 개혁에 대한 설명이다. 남한의 농지 개혁은 유상 매수, 유상 분배 방식으로 진행되었다. ④ 신한 공사는 광복 직후 미군정 시기에 귀속 재산을 처분하기 위해 설치한 것으로, 농지 개혁이 실시되기 이전에 해체되었다.

09 [고조선(위만 조선)] ▶ ②

제시된 자료는 기원전 194년 위만이 준왕을 몰아내고 왕위를 찬탈한 것에 대한 내용(위만 조선의 성립)이다. ② 위만 조선 이전인 기원전 3세기, 연나라 장수 진개의 침략을 받은 고조선은 서쪽의 넓은 영토를 상실하였다.

오답해설 ① 위만 조선의 멸망에 대한 설명이다. ③ 위만 조선 때의 일이다. ④ 위만 조선은 한반도 남부의 진과 중국 한나라 사이에서 중계 무역을 하여 경제적 이득을 얻었다.

개념정리 고조선

건국		• 성립: 단군왕검, 기원전 2333년(『삼국유사』, 『동국통감』) • 영역: 요령~한반도, 비파형 동검·고인돌(탁자식·북방식)·미송리식 토기의 출토 분포와 거의 일치 • 단군 이야기: 청동기 문화를 바탕으로 고조선이 성립된 역사적 사실 반영 • 수록 문헌: 『삼국유사』(일연), 『제왕운기』(이승휴), 『세종실록지리지』(춘추관), 『응제시주』(권람), 『동국여지승람』(노사신) 등
발전	단군 조선	• 세력 범위: 요령~한반도(대동강 유역 중심) • 정치 조직 확립: 왕위 세습(B.C. 3C, 부왕·준왕), 관직 정비(상·대부·장군·박사) • 대외 관계: 연나라와 대립(연과 대등할 만큼 강성) • 연나라 장수 진개의 공격으로 요동 지역을 상실하고 대동강으로 이동(B.C. 3C 초)
	위만 조선	• 유이민의 이동(2차): 진·한 교체기 위만이 고조선으로 이동, 세력 확대 • 위만 왕조 성립(B.C. 194): 유이민 세력과 토착 세력의 연합 정권, 단군 조선 계승 • 철기의 본격적 수용, 중계 무역으로 번성 • 대외 관계: 흉노와 연결, 한과 대립(→ 한 무제의 침입)
멸망		한 무제의 침입, 지배층의 내분으로 멸망(B.C. 108) → 한 군현 설치 ↔ 토착민의 저항
사회	8조법	• 기록: 『한서』 지리지(반고) • 내용: 살인죄, 상해죄, 절도죄 → 생명 존중, 농경 사회, 사유 재산제와 계급 사회

10 [장수왕] ▶ ③

제시된 자료는 장수왕의 한성 점령 및 개로왕의 죽음과 관련된 내용이다. 따라서 밑줄 친 '그'는 장수왕을 일컫는다. ③ 장수왕은 중국의 남조, 북조와 각각 우호 관계를 맺어 외교적 안정을 추구하였다.

오답해설 ① 고구려 태조왕의 업적이다. ② 4세기 고국원왕 때의 일이다. ④ 5세기 광개토 대왕 때의 일이다.

11 [발해의 정치 제도] ▶ ②

제시된 자료는 발해의 문화적 특징에 대해 서술하고 있다. ② 통일 신라는 군사·행정상의 요지에 5소경을 설치하였다. 수도인 금성(경주)이 지역적으로 치우쳐 있는 것을 보완하고, 각 지방의 균형 있는 발전을 꾀한 것이다.

오답해설 ①,③,④ 발해의 통치 체제에 대한 설명이다.

12 [삼국 통일] ▶ ③

(가)는 660년 백제의 멸망 과정에 대한 내용이고, (나)는 675년 매소성 전투에 관한 내용이다. ③ 668년 고구려의 멸망에 대한 설명이다. 나·당 연합군의 공격으로 평양성이 함락되고 보장왕과 남산이 항복하면서 고구려는 멸망하였다.

오답해설 ① 살수 대첩은 고구려 영양왕 때인 612년의 일이다. ② 김춘추가 왕으로 즉위한 것은 백제 멸망 이전인 654년의 일이다. ④ 기벌포 전투는 676년의 일이다.

13 [고려 태조] ▶ ④

제시된 자료는 고려 태조의 '훈요 10조'의 내용이다. ④ 고려 태조가 실시한 호족 포섭 정책들에 대한 설명이다.

오답해설 ① 후고구려를 세운 궁예에 대한 설명이다. ② 광종이 실시한 정책이다. ③ 고려 성종 때는 최승로를 비롯한 신라 6두품 출신의 유학자들이 국정을 주도하면서 유교 정치가 본격화되었다.

14 [고려의 대외 관계(거란)] ▶ ③

제시된 자료는 고려 현종 재위 기간인 거란의 2차 침입 때의 일로, (가)는 거란이다. ③ 거란의 1차 침입 때 고려는 서희의 외교 담판으로 송과 관계를 끊기로 약속하고, 그 대가로 강동 6주를 획득하였다.

오답해설 ① 여진에 대한 설명이다. ② 고려는 몽골과의 장기 항전에 대비하여 강화도로 수도를 옮겼다. ④ 왜구와 관련된 내용이다.

15 [조선 성종] ▶ ②

제시된 자료는 조선 성종 때 반포된 『경국대전』 서문의 내용이다. ② 성종 때 성리학적 향촌 질서를 확립하기 위해 유향소를 부활하였다.

오답해설 ①,③ 세종의 업적이다. ④ 세조(수양 대군)에 대한 설명이다.

16 [현종 때의 정치 상황(예송 논쟁)] ▶ ④

제시된 자료는 현종 때인 기해예송 당시 송시열, 송준길을 비롯한 서인이 주장한 내용이다. ④ 현종 때 2차례 일어난 예송 논쟁은 인조의 차남인 봉림 대군이 효종으로 즉위함에 따라, 왕위 계승의 정통성을 놓고 서인과 남인이 대립한 사건이다.

오답해설 ① 예송 논쟁 이전인 광해군 때의 정치 상황에 대한 설명이다. ② 중종반정은 예송 논쟁 이전의 일이다. ③ 조선 전기인 세종 때의 일이다.

17 [훈련도감과 속오군] ▶ ③

제시된 자료의 (가)는 훈련도감이고, (나)는 속오군이다. ③ 비변사에 대한 설명이다.

오답해설 ① 임진왜란 중에 척계광의 『기효신서』를 참고하여 훈련도감과 속오군을 편성하였다. ② 속오군은 유성룡의 건의에 따라 설치되었다. ④ 속오군의 구성에 대한 설명이다.

18 [조선 후기의 사회 모습] ▶ ②

제시된 자료는 조선 후기 전황의 발생에 대해 서술한 것이다. ② 조선 후기에 향회는 수령이 세금을 부과할 때 의견을 물어보는 자문 기구로 변화하였다.

오답해설 ① 고려 시대의 사회 모습에 대한 설명이다. ③ 고려~조선 전기의 사회 모습에 대한 설명이다. ④ 불교 신앙 조직인 향도는 삼국 시대부터 존재하였으며, 고려 시대에 널리 확산되었다.

19 [양명학] ▶ ④

제시된 자료는 정제두가 주장한 내용으로, 정제두는 조선 후기에 양명학을 체계적으로 연구하여 학파를 형성한 인물이다. ④ 소론 출신의 정제두는 양명학을 체계적으로 연구하여 강화학파를 성립하였다.

오답해설 ① 송시열을 비롯한 서인은 성리학적 질서를 절대적 가치로 내세우며 성리학 이외의 다른 사상이나 학문을 배척하였다. 따라서 양명학과는 관련 없는 내용이다. ② 동학에 대한 설명이다. ③ 호론(충청도 노론)이 주장한 내용이다. 호락 논쟁은 성리학의 철학 논쟁으로, 인간과 사물의 본성을 두고 노론 내부에서 논쟁을 벌였다.

20 [원효] ▶ ③

제시된 자료는 당나라 유학길에서 원효가 겪은 해골물 일화의 내용이다. ③ 원효는 아미타 신앙을 자신이 직접 전도하며 불교 대중화의 길을 걸었다.

오답해설 ① 의상에 대한 설명이다. ② 자장에 대한 설명이다. ④ 혜초 등에 대한 설명이다.

2026 공무원 시험 대비 실전동형 모의고사 제9회

한국사 정답 및 해설

9회차 문항분석표

구분	정치	경제	사회	문화
선사	1			
고대	2, 3, 6			
중세	4, 5		7	
근세	10	8		9
근대 태동기	11			12
근대 개항기	13, 14			15
일제 강점기	16, 17, 18			
현대	19, 20			

제9회 모의고사 정답

01 ①	02 ②	03 ④	04 ①	05 ③
06 ③	07 ④	08 ④	09 ①	10 ③
11 ③	12 ③	13 ①	14 ③	15 ②
16 ④	17 ②	18 ③	19 ②	20 ④

01 [구석기 시대] ▶ ①

제시된 자료는 구석기 시대의 생활 모습을 서술하고 있다. ① 구석기 시대에는 동굴이나 바위 그늘에 주로 살았고, 때로는 막집을 짓고 살았다.

오답해설 ② 신석기 시대, ③,④ 청동기 시대의 설명이다.

02 [무령왕] ▶ ②

밑줄 친 '여융(餘隆)'은 백제 무령왕을 일컫는다. ② 무령왕과 성왕 때의 외교 관계에 대한 설명이다.

오답해설 ① 백제 동성왕 때의 일이다. ③ 성왕이 실시한 통치 체제 재정비에 대한 설명이다. ④ 동성왕은 탐라국이 공물을 바치지 않자 출정하여 복속시켰다.

03 [문무왕] ▶ ④

제시된 자료의 밑줄 친 '국왕'은 신라 문무왕을 일컫는다. ④ 문무왕의 업적에 대한 설명이다. 문무왕은 백제 부흥 운동을 전개하던 주류성 등 여러 성을 함락하였다.

오답해설 ① 신문왕의 업적이다. ② 진흥왕 때의 일이다. ③ 진덕 여왕은 '오언태평송'을 지어 당나라 고종에게 보냈다.

04 [광종] ▶ ①

제시된 자료는 4대 국왕인 광종의 가계도를 서술한 내용이다. ① 광종은 관리들의 위계 질서를 확립하기 위해 자·단·비·녹의 공복을 제정하였다.

오답해설 ②,③,④ 모두 고려 성종의 업적이다.

05 [무신 정권] ▶ ③

㉣ 1170년 무신 정변을 일으킨 정중부, 이의방 등은 의종을 폐위하고 명종을 왕으로 세웠다. ㉠ 서경 유수 조위총은 정중부 집권기인 1174년에 지방군과 농민을 이끌고 반란을 일으켰다. ㉡ 정중부 다음으로 집권한 경대승은 신변의 안전을 위해 도방을 처음으로 설치하였다. ㉢ 최충헌 때의 일이다.

06 [신라 하대의 정치 상황(진성 여왕)] ▶ ③

제시된 자료는 신라 하대 진성 여왕 때의 민란 발생과 관련된 내용이다. ③ 신라 하대에는 왕권이 약화되어 사회가 혼란해지면서 지방에서는 호족이라 불리는 새로운 세력이 성장하였다.

오답해설 ① 신라 중대인 신문왕 때의 일이다. ② 신라 법흥왕 때의 일이다. ④ 신라 중대의 정치 상황에 대한 설명이다. 신라 중대에는 왕권이 이전보다 커짐에 따라 집사부의 장관인 시중의 기능을 강화하고, 귀족 세력의 이익을 대변하던 상대등의 세력을 억제하였다.

07 [고려의 가족 제도] ▶ ④

제시된 자료는 『고려사』의 기록으로, 고려 후기에 박유가 축첩 제도를 건의한 내용이다. 이는 고려 여성들의 반발로 무산되었다. ④ 조선 시대에 대한 설명이다. 고려 시대에는 여성의 재가가 비교적 자유롭게 이루어졌고, 그 소생 자식의 관직 진출에도 차별을 두지 않았다.

오답해설 ① 고려 시대에는 윤회 봉사, 분할 봉사, 외손 봉사가 보편적으로 이루어졌다. ② 고려 시대에는 태어난 차례대로 호적에 기재하여 남녀 차별을 두지 않았다. ③ 고려 시대에는 사위가 처가의 호적에 입적하여 처가에서 생활하는 경우도 자주 있었다.

08 [공법] ▶ ④

밑줄 친 '이 제도'는 세종 때 시행한 공법(貢法)이다. ④ 세종 때 조세 제도를 체계적으로 운영하기 위해 공법(전분 6등법과 연분 9등법)을 만들어 토지 비옥도와 풍흉의 정도에 따라 조세를 거두었다.

오답해설 ① 직전법에 대한 설명이다. ② 공납에 대한 설명이다. ③ 요역과 군역에 대한 설명이다.

09 [이이] ▶ ①

제시된 자료는 이이가 저술한 『성학집요』의 내용이다. ① 이이는 '이'와 '기'는 하나로 연결되었다고 여겼으며, 현실 세계를 구성하는 '기'를 중시하였다.

오답해설 ② 서경덕·조식 등에 대한 설명이다. ③,④ 이황의 사상적 특징에 대한 설명이다.

개념정리 이황 VS 이이

이황	이이
이 ≠ 기, 4단 ≠ 7정	이 = 기, 4단 = 7정
• 이기호발설(理氣互發說) • 기뿐만 아니라 이도 발동한다.	• 기발이승일도설(氣發理乘一途說) • 발하는 것은 기뿐이다.
사단칠정론: 사단과 칠정은 별개	사단칠정론: 칠정이 사단을 포함
근본주의적이고 이상주의적	현실적이고 개혁적
『성학십도』, 『주자서절요』, 『전습록변』	『성학집요』, 『동호문답』, 『격몽요결』
영남학파: 유성룡, 김성일 등	기호학파: 김장생, 송시열 등
예안 향약(안동)	해주 향약(해주), 서원 향약(청주)

10 [붕당 정치의 전개와 대외 관계] ▶ ③

삼포왜란은 중종 때인 1510년, 임진왜란은 선조 때인 1592년, 병자호란은 인조 때인 1636년이다. ③ 광해군(1608~1623) 때의 일이다.

오답해설 ① 광해군 때인 1613년 광해군의 이복동생인 영창 대군이 죽임을 당하였다(계축옥사). (나) 시기에 해당한다. ② 병자호란 이후인 영·정조 때의 일이다. ④ 선조 때 정철에 대한 처벌을 놓고 동인이 남인과 북인으로 분화되었다. (가) 시기에 해당한다.

11 [정조] ▶ ③

제시된 자료는 조선 후기 서얼의 신분 상승 노력에 대한 내용으로, 정조 때 능력있는 서얼들은 규장각 검서관으로 등용하였다. ③ 정조 때 『대전통편』을 편찬하여 『속대전』 이후의 법전 체계를 정리하였다.

오답해설 ① 영조 때 산림의 존재를 인정하지 않았으며, 서원을 붕당의 근거지로 여겨 대폭 정리하였다. ② 순조 때의 일이다. ④ 세도 정치 시기의 정치 상황이다. 정조는 권력에서 배제되었던 소론과 남인 계열을 중용하였다.

12 [박지원] ▶ ③

제시된 자료는 조선 후기 박지원이 저술한 『호질전』의 내용이다. 박지원은 주인공인 북곽 선생을 통해 양반들의 부패한 도덕 관념을 풍자하고 비판하였다. ③ 김정희는 제주도에서 유배 생활을 하던 중 '세한도'를 그려 제자인 이상적에게 보내주었다.

오답해설 ① 박지원은 수레와 선박의 이용, 화폐 유통의 필요성 등을 강조하였다. ②,④ 박지원에 대한 설명이다.

13 [대한 자강회] ▶ ①

제시된 자료는 대한 자강회에서 발표한 설립 취지문의 내용이다. ① 대한 자강회는 고종이 강제 퇴위되자 이를 반대하는 활동을 전개하다가, 보안법에 의해 강제로 해산되었다.

오답해설 ②,③,④ 신민회에 대한 설명이다.

14 [임오군란] ▶ ③

제시된 자료는 임오군란의 원인이 된 도봉소 사건과 임오군란이 진압된 직후인 1882년 8월 조·청 상민 수륙 무역 장정 체결에 대한 내용이다. 따라서 (가)에는 임오군란 때의 일들이 들어가야 적절하다. ③ 1884년 갑신정변의 진압 이후, 청나라와 일본은 톈진 조약을 체결하였다(1885).

오답해설 ①,④ 임오군란이 일어나자 고종은 흥선 대원군에게 사태의 수습을 맡겼다. 이에 재집권한 흥선 대원군은 통리기무아문과 별기군을 폐지하고, 5군영과 삼군부를 부활시켰다. ② 임오군란 때 별기군의 일본인 교관이 살해당했으며, 일본 공사관이 불탔다.

15 [대한매일신보] ▶ ②

제시된 자료는 대한매일신보의 특징들을 나열한 것이다. ② 대한매일신보는 치외법권을 누릴 수 있는 영국인 베델을 발행인으로 내세웠기 때문에 일제의 통제에서 어느 정도 자유로울 수 있었다.

오답해설 ① 한성순보, ③ 독립신문, ④ 만세보에 대한 설명이다.

16 [1920년대 일제 정책] ▶ ④

제시된 자료의 밑줄 친 '새로운 정책'은 1920년대 문화 통치 방침에 따라 실시된 정책들을 일컫는다. ④ 일제는 1923년부터 조선에 들어오는 일본 상품들에 대한 관세를 철폐하였다.

오답해설 ① 1930년대 이후 추진된 민족 말살 정책에 대한 설명이다. ② 산미 증식 계획이 중단된 것은 1934년의 일이다. ③ 1910년대 무단 통치 시기의 일이다.

개념정리 1920년대 문화 통치

구분	내용
배경	3·1 운동을 계기로 무단 통치의 한계 자각, 악화된 국제 여론 의식
본질	친일파를 길러 우리 민족을 이간, 분열시키려는 교활한 기만 정책
내용	• 문관 총독 임명 가능(실제로 문관이 총독에 임명된 적이 한 번도 없음.) • 보통 경찰 제도 실시: 경찰 업무와 군대 업무 분리 → 탄압 강화: 경찰 병력 3배 이상 증가, 치안 유지법 제정(1925) • 언론, 출판의 자유 일부 허용: 동아일보, 조선일보 등 한글 신문 간행(검열은 강화) • 지방 자치제 실시: 조선인의 정치 참여 선전 목적, 도 평의회 등을 두었으나 의결권 없는 자문 기구에 불과, 일부 지역에 선거제 도입(소수의 부유층 대상) • 교육 기회 확대: 제2차 조선 교육령(1922), 학교 수도 어느 정도 늘어남.

17 [이상설] ▶ ②

제시된 자료는 이상설의 활동을 간략히 정리한 것이다. ② 권업회는 연해주에서 이상설, 홍범도, 유인석 등이 한인 사회의 단결과 권익을 위해 조직한 자치 단체이다.

오답해설 ① 최팔용 등 일본 유학생들이 조직한 조선 청년 독립단에 대한 설명이다. ③ 대한 독립군은 1919년 홍범도가 창설한 항일 독립군 부대로, 활발한 국내 진공 작전을 펼쳤다. ④ 지청천, 이범석 등에 대한 설명이다.

18 [토지 조사 사업] ▶ ③

제시된 자료는 1912년에 발표된 토지 조사령의 내용으로, 이는 토지 조사 사업과 관련된 법령이다. ③ 대한 제국 시기의 경제 정책이다. 대한 제국은 지계아문을 설치하여 토지 소유권을 보장하는 문서인 지계를 일부 지역에 발급하였다.

오답해설 ① 토지 조사 사업의 진행 과정에 대한 설명이다. ② 토지 조사 사업의 결과에 대한 설명이다. ④ 일제는 토지 조사 사업이 근대적인 토지 소유권을 확립하기 위한 것이라고 선전하였다.

19 [모스크바 3국 외상 회의] ▶ ②

제시된 자료는 1945년 12월 31일 '신탁 통치 반대 국민 총동원 위원회'가 개최한 '탁치 반대 국민 총동원 시위 대회'에서 발표된 문서의 내용이다. ② 1946년과 1947년의 일이다.

오답해설 ① 미군은 1945년 9월 9일부터 군정을 실시하였다. ③ 1945년 11월 김구와 임시 정부의 요인들이 개인 자격으로 귀국하였다. ④ 조선 건국 준비 위원회는 1945년 9월 조선 인민 공화국의 수립을 선포하였다.

20 [대한민국 개헌의 변천 과정] ▶ ④

제시된 자료는 우리나라 대통령 선출 방식의 변천을 정리한 표이다. (가)는 1차 개헌(발췌 개헌)이고, (나)는 3차 개헌이며, (다)는 유신 헌법으로 불리는 7차 개헌이다. ④ 유신 헌법에 따라 대통령 중임 제한이 철폐되어 대통령의 영구 집권이 가능해졌다.

오답해설 ① 현행 헌법인 9차 개헌 등에 대한 설명이다. ② 3차 개헌은 허정 과도 정부에서 발표하였다. 3차 개헌에 따라 장면 내각이 성립되었다. ③ 1954년 2차 개헌(사사오입 개헌)에 대한 설명이다.

2026 공무원 시험 대비 실전동형 모의고사 제10회

한국사 정답 및 해설

10회차 문항분석표

구분	정치	경제	사회	문화
선사				
고대	1, 2			3
중세	4, 5	6		
근세	9, 11			
근대 태동기	12	7		8
근대 개항기	13, 14, 16			
일제 강점기	17	15		10, 18
현대	19, 20			

제10회 모의고사 정답

01 ②	02 ③	03 ①	04 ②	05 ②
06 ②	07 ③	08 ②	09 ④	10 ①
11 ③	12 ①	13 ④	14 ④	15 ④
16 ③	17 ④	18 ③	19 ①	20 ①

01 [발해 문왕] ▶ ②

제시된 자료는 발해 문왕 때의 대외 관계에 대해 서술한 것이다. ② 발해 문왕은 일본에 보낸 국서에서 천손임을 자랑하였고, 일본과의 관계를 장인과 사위로 비유하여 외교적 마찰을 빚었다.

오답해설 ①,③ 대조영(발해 고왕)에 대한 설명이다. ④ 발해 선왕의 업적이다.

02 [진평왕] ▶ ③

제시된 자료는 진평왕이 왕명으로 원광에게 걸사표를 짓게 한 내용으로, 밑줄 친 '대왕'은 진평왕을 일컫는다. ③ 진평왕은 왕족은 석가모니 종족의 환생이라는 진종설을 유포하였다.

오답해설 ① 선덕 여왕 때의 불교 진흥책에 대한 설명이다. ② 진흥왕의 업적에 대한 설명이다. ④ 집사부가 설치된 것은 진덕 여왕 때의 일이다.

03 [의상] ▶ ①

제시된 자료는 의상이 주장한 내용이다. ① 의상은 해동 화엄종을 개창하였다.

오답해설 ② 혜초, ③ 원광, ④ 고려 승려인 균여에 대한 설명이다.

04 [고려의 대외 관계(몽골)] ▶ ②

제시된 자료는 고려와 몽골의 첫 접촉에 대해 서술한 것이다. ② 몽골의 2차 침입 때의 일이다.

오답해설 ① 거란의 2차 침입 때의 일이다. ③ 예종 때의 여진 정벌에 대한 설명이다. ④ 고려 말 왜구의 침입에 대한 설명이다

05 [충선왕] ▶ ②

제시된 자료의 밑줄 친 '그'는 고려 후기의 충선왕이다. ② 충선왕은 개혁 기구로 사림원을 설치하고, 국왕의 고문 역할과 왕명 출납·인사 업무를 담당하게 하였다.

오답해설 ① 공민왕은 고려의 내정을 간섭하던 정동행성 이문소를 혁파하였다. ③ 공민왕은 신돈을 전민변정도감의 판사(책임자)로 임명하였다. ④ 공민왕의 업적이다.

06 [고려의 경제] ▶ ②

제시된 자료는 이승장 묘지명의 내용으로, 고려 시대의 여성들이 비교적 자유롭게 재혼을 했으며, 재가한 여성과 그 자녀도 사회적 차별을 받지 않았음을 알 수 있다. ② 조선 후기에는 선대제가 유행하였다. 자본이 풍부한 상인들이 수공업자들에게 자금을 미리 지불하고 제품을 만들게 한 생산 방식이다.

오답해설 ① 경시서는 고려~조선 전기에 존재했던 기구로, 상행위를 감독하였다. ③ 고려와 조선 전기의 경제 상황에 대한 설명이다. ④ 고려는 국경 지대에 위치한 공식 무역장인 각장에서 거란과 교역을 하였다.

07 [균역법] ▶ ③

제시된 자료는 영조 때 실시한 균역법에 대한 내용이다. ③ 균역법에 따라 군포 부담을 1년에 2필에서 1필로 줄여 주었다. 이에 따른 재정 부족분은 결작, 선무군관포, 어염세 등으로 보충하였다.

오답해설 ① 조선 후기인 19세기에 실시된 총액제에 대한 설명이다. ②,④ 대동법에 대한 설명이다.

08 [『발해고』] ▶ ②

제시된 자료는 유득공의 『발해고』의 서문 내용이다. ② 『발해고』에서는 우리 역사의 범위를 한반도와 만주까지 확장하였다.

오답해설 ① 안정복의 『동사강목』에 대한 설명이다. ③ 김정희의 『금석과안록』에 대한 설명이다. ④ 한치윤의 『해동역사』에 대한 설명이다.

09 [정도전] ▶ ④

제시된 자료는 정도전의 주요 업적들을 나열한 것으로, 빈칸에 들어갈 인물은 정도전이다. ④ 정도전은 불교 교리 비판서인 『불씨잡변』을 저술하였다.

오답해설 ① 이방원(태종)에 대한 설명이다. ② 김육 등에 대한 설명이다. ③ 안향에 대한 설명이다.

10 [백남운] ▶ ①

제시된 자료는 백남운이 저술한 『조선사회경제사』의 목차이다. ① 백남운은 한국사도 세계사적인 발전 과정을 따라 자본주의 사회로 발전해왔음을 입증하기 위해 사회·경제사 연구에 집중하였다.

오답해설 ② 박은식에 대한 설명이다. ③ 신채호 등에 대한 설명이다. ④ 조선학 운동을 주도한 정인보, 안재홍 등에 대한 설명이다.

11 [인조] ▶ ③

제시된 자료는 인조 때 일어난 이괄의 난과 관련된 내용으로, 밑줄 친 '왕'은 인조를 일컫는다. ③ 인조 때 일어난 병자호란에 대한 설명이다.

오답해설 ① 현종 때의 일이다. ② 영조의 업적이다. ④ 철종 때의 일이다.

12 [순조] ▶ ①

제시된 자료에서 빈칸에 들어갈 국왕은 순조이다. ① 순조 때 장용영을 혁파하였다.

오답해설 ② 영조 때의 일이다. ③ 정조의 업적이다. ④ 숙종 때 일어난 경신환국의 결과에 대한 설명이다.

13 [조·미 수호 통상 조약] ▶ ④

제시된 자료는 1882년에 체결된 조·미 수호 통상 조약에서 관세 부과를 규정한 내용이다. ④ 조·미 수호 통상 조약은 영사 재판권과 최혜국 대우가 규정된 조약으로, 조선에 불리한 불평등 조약이었다.

오답해설 ① 강화도 조약에 대한 설명이다. ② 조·일 수호 조규 부록에 대한 설명이다. ③ 1882년 임오군란 진압 직후에 체결된 제물포 조약에 대한 설명이다.

14 [국권 피탈] ▶ ④

제시된 자료는 1905년에 체결된 을사늑약의 내용이다. ④ 러·일 전쟁이 발발한 것은 1904년의 일이다.

오답해설 ① 1907년에 체결된 한·일 신협약(정미 7조약)의 부속 각서에 따라 대한제국의 군대가 해산되었다. ② 1907년의 일이다. ③ 1906년의 일이다.

15 [민립 대학 설립 운동] ▶ ④

④ 제시된 자료는 민립 대학 기성회 취지서의 내용으로, 민립 대학 설립 운동과 관련된 자료이다. 1920년대 우리 민족의 힘으로 고등 교육 기관인 대학을 설립하려는 민립 대학 설립 운동이 일어났다.

16 [1897년의 정치 상황] ▶ ③

제시된 자료는 아관 파천 이후, 고종의 환궁을 요청하는 상소의 내용이다. "러시아 공사관으로 거처를 옮기시고 해가 바뀌었습니다."라는 내용을 통해 아관 파천 다음해인 1897년임을 알 수 있다. ③ 1897년 경운궁으로 환궁한 고종은 연호를 '광무'로 고치고, 환구단에서 황제 즉위식을 올렸다.

오답해설 ① 1883년의 일이다. ② 1894년의 일이다. ④ 청·일 전쟁에서 승리한 일본은 1895년 청나라와 시모노세키 조약을 체결하였다.

17 [일제의 정책] ▶ ④

㉢ 토지 조사국이 설치된 것은 1910년의 일이다. ㉠ 1920년 회사령 폐지에 따라 회사 설립이 허가제에서 신고제로 완화되었다. ㉣ 1925년의 일이다. ㉡ 1938년의 일이다.

18 [조선어 학회] ▶ ③

③ 제시된 자료의 밑줄 친 '이 단체'는 조선어 학회이다. 조선어 학회는 한글 맞춤법 통일안 등을 만들고, 이를 바탕으로 우리말 큰 사전을 편찬하려 하였지만, 일제의 방해로 중단되고 말았다. 일제는 조선어 학회와 이와 관련된 인사들이 항일 독립운동을 전개하였다는 구실로 치안 유지법을 적용하여 총 29명을 구속하였다(조선어 학회 사건). 이에 따라 조선어 학회는 강제로 해산되었다.

19 [유신 헌법] ▶ ①

제시된 자료는 1972년에 제정된 유신 헌법(제7차 개헌)의 내용이다. ① 유신 헌법은 임기 6년의 대통령을 간선제로 선출하게 하였다.

오답해설 ②,③,④ 유신 헌법에 규정된 내용들이다.

20 [6·15 남북 공동 선언] ▶ ①

제시된 자료는 김대중 정부 때인 2000년 6월에 발표된 6·15 남북 공동 선언의 내용이다. ① 6·15 남북 공동 선언은 1차 남북 정상 회담 때 발표되었다.

오답해설 ②,③ 1972년 7·4 남북 공동 성명에 대한 설명이다. ④ 1991년 남북 기본 합의서 등에 대한 설명이다.

개념정리 주요 통일 정책

정책	연도	내용
7·4 남북 공동 성명	1972	• 자주·평화·민족적 대단결의 민족 통일 3대 원칙 • 남북 조절 위원회 설치
남북 이산가족 고향 방문단 교환 방문	1985	최초로 남북 이산가족 고향 방문, 예술 공연단 교환 방문
남북 고위급 회담 시작	1990. 9.	정원식, 연형묵 대표 회담
남북 UN 가입	1991. 9.	남북이 UN에 동시 가입
남북 기본 합의서	1991. 12.	• 남북 간의 화해와 불가침 및 교류·협력에 관한 합의서 • 통일을 지향하는 과정에서 잠정적으로 형성되는 특수 관계 인정
한반도 비핵화 선언	1991. 12.	한반도 비핵화에 관한 공동 선언 채택(1991. 12. 31.)
금강산 관광 사업(해로)	1998	1998년 11월 금강호가 분단 후 처음으로 동해항에서 출발(현대 그룹 주도)
6·15 남북 공동 선언	2000	• 최초의 남북 정상 회담의 결과, 통일 문제의 자주적 해결 • 남측의 '남북 연합제 안'과 북측의 '낮은 단계의 연방제 안'의 공통성 인정 • 개성 공단 설치, 경의선 복구
10·4 남북 공동 선언	2007	• 2차 남북 정상 회담의 결과로 발표 • 상호 존중과 신뢰의 남북 관계로 전환 • 종전 선언 협의

2026 공무원 시험 대비 실전동형 모의고사 제11회

한국사 정답 및 해설

11회차 문항분석표

구분	정치	경제	사회	문화
선사	1			
고대	2, 3			4
중세	5, 6, 7	8		
근세	9, 10			
근대 태동기	12		11	13
근대 개항기	14, 15, 19			
일제 강점기	16, 17			
현대	18, 20			

제11회 모의고사 정답

01 ①	02 ③	03 ①	04 ②	05 ③
06 ③	07 ②	08 ①	09 ③	10 ③
11 ③	12 ④	13 ②	14 ①	15 ①
16 ④	17 ①	18 ③	19 ②	20 ①

01 [삼한] ▶①

제시된 자료는 삼한의 정치 체제와 제천 행사에 대한 내용이다. ① 삼한에서는 신지, 읍차 등으로 불리는 군장 세력이 있었고, 종교적 지배자로는 천군이 있었다. 이를 통해 삼한은 정치와 종교가 분리된 사회였음을 알 수 있다.

오답해설 ② 옥저와 동예에 대한 설명이다. ③ 부여와 초기 고구려에 대한 설명이다. ④ 부여는 수해나 가뭄으로 흉년이 들면 왕에게 그 책임을 묻기도 하였다.

02 [통일 신라의 정치 상황] ▶③

㉡ 신문왕 때 왕비의 아버지인 김흠돌이 일으킨 반란을 진압하였다. ㉢ 경덕왕 때의 일이다. ㉣ 9세기 헌덕왕 때인 822년 웅천주 도독 김헌창이 아버지인 김주원이 왕위 다툼에서 패한 것에 불만을 품고 반란을 일으켰다. ㉠ 헌덕왕의 뒤를 이어 즉위한 흥덕왕 때 완도에 청해진을 설치하고, 장보고를 청해진 대사로 임명하였다.

03 [발해 무왕] ▶①

제시된 자료는 발해 무왕 때의 대외 관계와 관련된 내용이다. ① 발해 무왕은 '인안'이라는 독자적인 연호를 사용하였다.

오답해설 ② 발해 문왕에 대한 설명이다. ③ 정효 공주 묘지에서 '황상'이라고 표현한 왕은 발해 문왕이다. ④ 발해 선왕 때의 영토 확장에 대한 설명이다.

04 [자장] ▶②

제시된 자료는 황룡사 9층 목탑의 건립 배경에 대한 내용으로, (가)는 자장이다. ② 자장은 선덕 여왕 때 귀국하여, 황룡사 9층 목탑을 세울 것을 건의하였다.

오답해설 ① 의상에 대한 설명이다. ③ 고려 승려인 의천의 교단 통합 운동에 대한 설명이다. ④ 원효에 대한 설명이다.

05 [고려 태조] ▶③

제시된 자료는 고려 태조가 남긴 훈요 10조의 내용이다. ③ 고려 태조는 고구려 계승을 표방하고 천수라는 독자적 연호를 사용하였다.

오답해설 ① 궁예와 견훤에 대한 설명이다. 고려 태조(왕건)는 신라에 우호적이었다. ② 궁예에 대한 설명이다. ④ 광종의 노비안검법에 대한 설명이다.

06 [고려의 대외 관계(여진)] ▶③

제시된 자료는 고려 성종 때 거란의 1차 침입 당시 서희가 소손녕과 외교 담판을 벌인 내용으로, (가) 국가는 여진을 일컫는다. ③ 예종 때 윤관은 별무반을 이끌고 여진을 정벌하였다.

오답해설 ① 고려 정종 때 광군을 조직하여 거란의 침입에 대비하였다. ② 거란의 2차 침입 때 양규가 흥화진에서 선전했으며, 3차 침입 때 강감찬이 귀주에서 거란군을 크게 물리쳤다. ④ 거란의 2차 침입 때의 일이다.

07 [공민왕] ▶②

제시된 자료는 공민왕의 반원 정책과 관련된 내용이다. ② 공민왕은 기철 등을 비롯한 친원 세력들을 숙청하였다.

오답해설 ① 충선왕의 업적이다. ③ 충렬왕 때의 일이다. ④ 고려 문종 때의 일이다.

08 [전시과 제도] ▶①

① 전시과 제도에 따라 관리 등은 곡물을 수취할 수 있는 전지와 땔감을 얻을 수 있는 시지를 지급받았다.

오답해설 ② 녹읍 등에 대한 설명이다. 녹읍을 받은 귀족들은 해당 지역에서 조세와 공물을 거두었으며, 노동력까지 동원할 수 있었다. ③ 전시과 제도는 경종 때 처음 만들어졌다. ④ 과전법 등에 대한 설명이다. 전시과 제도는 전국의 토지를 대상으로 하였다.

09 [세조] ▶③

제시된 자료는 수양 대군(세조)이 김종서 등을 제거하고 권력을 장악한 계유정난과 관련된 내용이다. 따라서 (가)는 수양 대군(세조)을 일컫는다. ③ 세조 때 진관 체제를 실시하였다.

오답해설 ① 성종의 업적이다. ② 태종에 대한 설명이다. ④ 세종 때 이종무를 보내 쓰시마섬(대마도)을 정벌하였다.

10 [붕당 정치의 전개 과정] ▶③

㉡ 중종 때의 정치 상황에 대한 설명이다. ㉣ 선조 때 일어난 정철의 건저의 사건에 대한 설명이다. ㉢ 효종 때의 북벌 운동 추진에 대한 설명이다. ㉠ 현종 때의 정치 상황에 대한 설명이다.

11 [홍경래의 난] ▶③

제시된 자료는 19세기 순조 때 일어난 홍경래의 난과 관련된 내용이다. ③ 홍경래의 난은 서북 지방에 대한 차별과 세도 정권의 수탈이 원인이 되어 일어난 민란이다.

오답해설 ① 16세기 명종 때 일어난 임꺽정의 난에 대한 설명이다. ② 철종 때 일어난 임술민란과 관련된 내용이다. ④ 근대 시기인 1894년 1월에 일어난 고부 민란에 대한 설명이다.

12 [숙종] ▶④

제시된 자료는 조선 후기 숙종 때의 정치 상황에 대해 서술한 것이다. ④ 숙종 때 안용복이 울릉도와 독도에 출몰하는 왜인을 쫓아내고 일본과 담판하여 울릉도와 독도가 우리 영토임을 확인받고 돌아왔다.

오답해설 ① 균역법 실시는 영조의 업적이다. ② 정조의 인재 등용 정책에 대한 설명이다. ③ 조선 전기 성종 때의 편찬 사업에 대한 설명이다.

개념정리 숙종의 정책

경신환국(1680)	• 유악 사건, 남인 역모 사건을 계기로 남인 축출, 서인 정권 수립 • 경신환국 이후 남인에 대한 처벌을 놓고 서인은 노론과 소론으로 분열
기사환국(1689)	희빈 장씨가 낳은 왕자를 세자(원자)로 책봉하는 것을 서인이 반대 → 서인 축출, 남인 재집권 → 인현 왕후 민씨 폐위, 희빈 장씨를 왕비로 책봉
갑술환국(1694)	서인(노론)이 폐비 민씨(인현 왕후) 복위 운동을 전개, 이를 계기로 남인이 서인 탄압 시도, 숙종은 오히려 남인을 숙청 → 폐비 민씨 복위, 중전 장씨는 희빈 강등 → 남인 몰락, 서인 집권
대내 정책	• 금위영 설치, 대동법 전국 실시, 상평통보 법화 채택, 삼남 지방에 대한 양전 완료 • 창덕궁 안에 대보단 설치(명나라 신종 제사)
대외 정책	• 안용복 사건(울릉도가 우리 영토임을 확인) • 백두산정계비 건립(1712, 청나라와의 국경 확정)

13 [홍대용] ▶②

제시된 자료는 홍대용이 주장한 내용이다. ② 홍대용은 중국이 세계의 중심이라는 세계관을 비판하였다.

오답해설 ① 이수광에 대한 설명이다. ③ 정약용에 대한 설명이다. ④ 윤휴와 박세당에 대한 설명으로, 홍대용과는 관련이 없다.

14 [갑신정변] ▶ ①

제시된 자료는 1884년에 일어난 갑신정변의 발발과 관련된 내용이다. ① 임오군란 때의 일이다.

오답해설 ② 갑신정변은 김옥균, 박영효 등 급진 개화파가 주도하였다. ③ 갑신정변을 주도한 세력은 입헌 군주제적 정치 체제를 추구하였다. ④ 갑신정변에 대한 내용이다.

15 [한 · 일 신협약(정미 7조약)] ▶ ①

제시된 자료는 1907년 7월에 체결된 한 · 일 신협약(정미 7조약)의 내용이다. ① 한 · 일 신협약(정미 7조약)과 관련된 내용이다.

오답해설 ② 한 · 일 신협약은 포츠머스 강화 조약(1905) 이후에 체결되었다. ③ 1910년에 체결된 한 · 일 병합 조약에 관한 설명이다. ④ 화폐 정리 사업은 한 · 일 신협약 체결 이전인 1905년에 실시된 정책이다.

16 [1910년대 일제의 정책] ▶ ④

제시된 자료에서 설명하고 있는 헌병 경찰제는 1910년대 무단 통치 시기에 시행되었다. 따라서 밑줄 친 '이 시기'는 1910년대 무단 통치 시기를 일컫는다. ④ 일제는 민족 말살 통치 시기인 1940년 동아일보와 조선일보 등 한글을 사용하는 신문들을 강제 폐간하였다.

오답해설 ①,②,③ 모두 1910년대 추진된 정책들이다.

17 [김원봉] ▶ ①

밑줄 친 '그'는 김원봉이다. ① 김원봉의 의열단이 중심이 되어, 민족 독립운동의 단일 정당을 목표로 민족 혁명당을 결성하였다.

오답해설 ② 양세봉에 대한 설명이다. ③ 안창호 등에 대한 설명이다. ④ 한인 애국단 소속인 이봉창에 대한 설명이다.

18 [1970년대 정치 상황] ▶ ③

제시된 자료는 박정희 정부 때인 1969년 3선 개헌안 통과와 1971년 대통령 선거에 대해 서술한 내용이다. ③ 1976년 재야 민주 인사들이 명동 성당에서 3 · 1 민주 구국 선언을 발표하여 박정희 정권의 퇴진 등을 요구하였다.

오답해설 ① 1964년의 일이다. ② 1960년 4 · 19 혁명의 결과로 장면 내각이 성립되었다. ④ 1948년 10월의 일이다. 정부는 제주 4 · 3 사건을 진압하기 위해 여수와 순천 지역의 군대를 보내기로 하였다. 그러나 군대 안의 좌익 세력들이 제주도 출동을 거부하고 반란을 일으켰다.

19 [근대의 정치 상황] ▶ ②

(가)는 을미사변이 발발한 1895년부터 을사늑약이 체결된 1905년까지의 시기를 일컫는다. ② 1909년 기유각서의 체결로 사법 자주권을 빼앗겼다.

오답해설 ① 1896년 4월의 일이다. ③ 1899년 대한 제국은 원수부를 설치하여 황제가 군사권을 장악하도록 하였다. ④ 대한국 국제가 반포된 것은 1899년의 일이다.

20 [정부 수립 과정] ▶ ①

㉡ 카이로 회담이 열린 것은 1943년의 일이다. ㉢ 1944년 여운형은 국내에서 비밀리에 조선 건국 동맹을 조직하였다. ㉠ 1946년 3월 서울 덕수궁에서 1차 미 · 소 공동 위원회가 개최되었다. ㉣ 1948년 2월 유엔 소총회에서 선거가 가능한 남한 지역만이라도 선거를 실시해야 한다는 미국의 결의안이 채택되었다.

2026 공무원 시험 대비 실전동형 모의고사 제12회
한국사 정답 및 해설

12회차 문항분석표

구분	정치	경제	사회	문화
선사	1			
고대	2, 3, 4			
중세	5, 6		7	8
근세	9, 10			
근대 태동기	11		12	
근대 개항기	13, 14	15		
일제 강점기	16, 17, 18			
현대	19			
통합형	20			

제12회 모의고사 정답

01 ②	02 ④	03 ③	04 ③	05 ③
06 ④	07 ②	08 ②	09 ③	10 ④
11 ④	12 ④	13 ②	14 ③	15 ③
16 ③	17 ②	18 ①	19 ④	20 ③

01 [청동기 시대] ▶ ②

제시된 자료는 청동기 시대의 사회 모습에 대한 내용이다. ② 슴베찌르개는 구석기 후기에 등장한 대표적인 석기로, 주로 창의 기능을 하였다.

오답해설 ①,③,④ 청동기 시대에 대한 설명이다.

02 [광개토 대왕] ▶ ④

밑줄 친 '왕'은 고구려 광개토 대왕을 일컫는다. ④ 광개토 대왕은 후연을 격파하여 오랜 숙원이던 요동 지방을 포함한 만주 대부분의 땅을 차지하였다.

오답해설 ①,② 고구려 소수림왕의 업적이다. ③ 고구려 고국천왕은 빈민 구제를 위해 진대법을 도입하였다.

03 [신문왕] ▶ ③

제시된 자료의 밑줄 친 '왕'은 신문왕이다. ③ 신문왕은 군사 조직을 정비하여 중앙군인 9서당과 지방군인 10정을 설치하였다.

오답해설 ① 원성왕 때의 일이다. ② 성덕왕 때의 일이다. ④ 헌덕왕 때 김헌창은 중앙 정계에서 밀려나 웅천주 도독이 되었다.

04 [7세기 삼국의 항쟁 과정] ▶ ③

㉢ 고구려 영양왕 때 수나라 양제가 100만 대군을 보내 고구려를 침입하자 을지문덕이 적을 살수에서 격파하였다(612, 살수 대첩). ㉡ 백제 의자왕 때인 642년(신라 선덕 여왕 재위 기간)의 일이다. ㉠ 신라는 진덕 여왕 때인 648년 나·당 동맹을 체결하였다. ㉣ 660년 백제의 멸망에 대한 설명이다.

05 [광종] ▶ ③

제시된 자료는 광종 때의 노비안검법 실시와 관련된 내용이다. ③ 광종은 쌍기의 건의를 받아들여 과거제를 실시하였다.

오답해설 ① 고려 성종은 개경에 국자감을 설치하는 등 유학 교육 기관을 정비하였다. ② 고려 태조 때의 일이다. ④ 고려 경종 때 전시과 제도를 처음 실시하였고, 이후 목종과 문종 때 전시과 제도를 개편하였다.

06 [중서문하성] ▶ ④

④ 제시된 자료의 (가)는 중서문하성이다. 중서문하성은 국가 정책을 계획하여 결정하였고, 문하시중이 국정을 총괄하였다.

07 [고려의 사회] ▶ ②

제시된 자료는 고려의 농업 기술 발달에 대한 내용이다. ② 조선 후기의 사회 모습에 대한 설명이다.

오답해설 ①,③,④ 고려 시대의 사회 모습에 대한 설명이다.

08 [『삼국사기』] ▶ ②

제시된 자료는 김부식이 편찬한 『삼국사기』의 특징에 대해 서술한 내용이다. ② 『삼국사기』는 기전체 역사서로, 본기 28권(고구려 10권, 백제 6권, 신라·통일 신라 12권)·지(志) 9권·표 3권·열전 10권으로 구성되었다.

오답해설 ① 『삼국유사』와 『제왕운기』 등에 대한 설명이다. ③ 일연이 서술한 『삼국유사』 등에 대한 설명이다. ④ 이규보의 『동명왕편』에 대한 설명이다.

09 [조선 전기의 정치 상황] ▶ ③

제시된 자료는 조선 태조 때인 1398년에 발생한 1차 왕자의 난에 관한 기록이다. 밑줄 친 (나) '정안군'은 이후 조선 태종이 되는 이방원을 일컫는다. ③ 성종의 업적이다.

오답해설 ① 정도전이 주장한 통치 이념에 대한 설명이다. ② 정도전은 명나라와 외교적 갈등을 빌자 요동 정벌을 계획했으며, 이를 위해 작전도인 '진도'를 제작하였다. ④ 6조 직계제를 실시한 국왕은 태종과 세조이다.

10 [예송 논쟁] ▶ ④

④ 현종 때 효종의 왕위 계승에 대한 정통성과 관련하여 두 차례 예송 논쟁이 일어났다. 1차 예송에서는 서인, 2차 예송에서는 남인의 주장이 받아들여졌다. 서인은 효종이 적장자가 아니라는 근거를 들어 왕과 사대부에게 같은 예가 적용되어야 한다는 입장을 내세웠다. 반면, 남인은 왕에게는 일반 사대부와 다른 예가 적용되어야 한다고 주장하였다.

개념정리 예송 논쟁

구분	서인	남인
주장	왕사동례(王士同禮)	왕사부동례(王士不同禮)
성격	신권 강화	왕권 강화
예서	『주자가례』, 『가례집람』	고례(『예기』, 『주례』, 『의례』)
기해예송 (1659)	• 효종 사후 조대비(인조의 계비, 효종의 계모)의 복상 기간: 서인의 1년설 vs 남인의 3년설 • 1년설 채택 → 서인 승리, 남인 실각	
갑인예송 (1674)	• 인선왕후(효종 비) 사후 조대비 복상 기간: 서인의 9개월설(대공설) vs 남인의 1년설(기년설) • 1년설(기년설) 채택 → 남인 승리, 서인 실각	

11 [영조] ▶ ④

제시된 자료는 영조의 탕평 정책 추진에 대한 내용이다. ④ 『동국문헌비고』는 영조 때 왕명에 따라 국가적 사업으로 편찬한 최초의 관찬 한국학 백과사전이다.

오답해설 ① 흥선 대원군은 호포제를 실시하여 양반들에게도 군포를 징수하였다. ② 정조는 신해통공을 단행하여 상업 활동의 자유를 확대하였다. ③ 북벌 운동은 효종과 숙종 때 추진되었다.

12 [동학과 천주교] ▶ ④

④ 제시된 자료에서 (가)는 철종 때 최제우가 창시한 동학에 대해 서술한 것이고, (나)는 천주교의 교세 확장과 탄압에 대한 내용이다.

13 [1차 갑오개혁] ▶ ②

군국기무처를 중심으로 1차 갑오개혁이 추진되었다. ② 대한 제국은 양지아문을 설치하여 양전 사업을 실시하였다.

오답해설 ①,③,④ 1차 갑오개혁 때 추진된 정책들이다.

14 [최익현] ▶ ③

제시된 자료는 최익현의 『면암집』에 실린 내용으로, 최익현이 을사의병 당시 발표한 격문이다. ③ 1908년 장인환, 전명운이 대한 제국의 외교 고문으로 일제의 침략 정책을 선전하던 미국인 스티븐스를 샌프란시스코에서 사살하였다.

오답해설 ① 최익현은 일본은 서양과 다름없다는 왜양일체론을 주장하였다. ② 을사의병 당시, 최익현은 제자들과 함께 전라도 지역에서 의병을 일으켰다. ④ 1876년 강화도 조약 체결을 전후해서 최익현을 비롯한 유생들은 일본과의 조약 체결과 개항에 반대하였다.

15 [국채 보상 운동] ▶ ③

제시된 자료의 밑줄 친 '이 운동'은 1907년에 전개된 국채 보상 운동을 일컫는다. ③ 국채 보상 운동 당시, 대한매일신보와 황성신문 등의 언론이 적극적으로 후원하였다.

오답해설 ① 보안회는 황무지 개간권 반대 운동을 주도한 단체이다. ② 1920년대에 전개된 물산 장려 운동과 관련된 내용이다. ④ 1920년대에 전개된 민립 대학 설립 운동에 대한 설명이다.

16 [일제의 정책] ▶ ③

육군 주만 참의부의 성립은 1923년의 일이다. ③ 일제는 1910년 토지 조사국을 설립하고, 1912년 토지 조사령을 발표하여 1918년까지 토지 조사 사업을 추진하였다. 이를 통해 식민지 운영을 위한 재정을 확보하고 일본인의 토지 소유를 확대하고자 하였다.

오답해설 ① 치안 유지법은 1925년부터 적용되었다. ② 일제는 1939년 국민 징용령을 공포하여 강제적인 노무 동원을 실시하였다. ④ 남면북양 정책은 1931년 만주사변 이후부터 추진된 정책이다. 일제는 한반도 남부에 면화 재배를, 북부에는 양사육을 강요하여 공업 원료를 수탈하고자 하였다.

17 [신간회] ▶ ②

제시된 자료의 (가) 단체는 1927년에 조직된 신간회를 일컫는다. ② 신간회의 자매단체로는 근우회가 있었다. 신간회의 창립은 여성 운동에도 영향을 미쳐 국내의 여성 단체들이 모여 근우회를 조직하였다.

오답해설 ① 방정환을 중심으로 조직된 천도교 소년회의 활동에 대한 설명이다. ③ 신한 청년당(단)과 임시 정부에 대한 설명이다. ④ 신민회 등에 대한 설명이다.

18 [3·1 운동] ▶ ①

제시된 자료는 인도의 독립운동가인 네루가 딸에게 보낸 편지의 내용으로, 밑줄 친 '1919년의 독립 만세 운동'은 1919년의 3·1 운동을 일컫는다. ① 1926년 6·10 만세 운동에 대한 설명이다.

오답해설 ② 3·1 운동의 결과에 대한 설명이다. ③ 3·1 운동 당시, 탑골 공원에서는 학생과 시민이 모여 독립 선언서를 발표한 후 거리에 나가 '대한 독립 만세'를 외쳤다. ④ 전국적인 만세 시위(3·1 운동)를 준비하던 종교계 인사들은 천도교의 손병희와 기독교의 이승훈 등을 주축으로 하고, 불교계의 한용운이 연합하여 이루어진 33인의 민족 대표를 구성하였다.

19 [좌·우 합작 운동] ▶ ④

카이로 선언은 1943년에 발표되었고, 조선 건국 동맹은 1944년에 조직되었다. 조선 건국 준비 위원회는 해방 직후인 1945년 8월 15일에 결성되었고, 1차 미·소 공동 위원회는 1946년 3월에 열렸다. 그리고 남북 협상 회의는 1948년 4월 평양에서 개최되었다. ④ 제시된 자료는 1946년 10월 좌·우 합작 위원회에서 발표한 좌·우 합작 7원칙에 대한 내용이다. 따라서 ④ 시기에 속한다.

20 [전근대 군사 제도] ▶ ③

ⓒ 통일 신라의 중앙군에 대한 설명이다. ㉠ 고려 시대의 군사 제도에 대한 설명이다. ㉣ 조선 후기인 숙종 때의 일이다. ㉡ 근대 시기 고종 때인 1881년 신식 군대인 별기군을 두어 일본인 교관을 초빙하여 근대식 군사 훈련을 하였다.

2026 공무원 시험 대비 실전동형 모의고사 제1회~제12회

한국사 빠른 정답 찾기

제1회	01 ③	02 ③	03 ③	04 ②	05 ④	06 ②	07 ②	08 ③	09 ②	10 ②
	11 ④	12 ④	13 ①	14 ④	15 ②	16 ④	17 ④	18 ④	19 ③	20 ④
제2회	01 ③	02 ②	03 ④	04 ④	05 ②	06 ④	07 ③	08 ④	09 ②	10 ①
	11 ②	12 ③	13 ②	14 ④	15 ①	16 ④	17 ③	18 ④	19 ①	20 ④
제3회	01 ④	02 ②	03 ①	04 ①	05 ④	06 ④	07 ③	08 ①	09 ④	10 ③
	11 ③	12 ④	13 ④	14 ①	15 ④	16 ②	17 ④	18 ①	19 ②	20 ②
제4회	01 ④	02 ①	03 ③	04 ④	05 ③	06 ②	07 ④	08 ②	09 ②	10 ①
	11 ②	12 ②	13 ③	14 ①	15 ③	16 ①	17 ①	18 ③	19 ①	20 ③
제5회	01 ④	02 ④	03 ③	04 ①	05 ②	06 ②	07 ①	08 ②	09 ③	10 ③
	11 ①	12 ③	13 ④	14 ③	15 ③	16 ③	17 ②	18 ③	19 ④	20 ④
제6회	01 ②	02 ③	03 ②	04 ②	05 ④	06 ①	07 ②	08 ③	09 ②	10 ②
	11 ③	12 ④	13 ③	14 ③	15 ③	16 ④	17 ②	18 ②	19 ②	20 ①
제7회	01 ③	02 ④	03 ②	04 ①	05 ③	06 ②	07 ③	08 ④	09 ③	10 ②
	11 ②	12 ②	13 ④	14 ③	15 ④	16 ③	17 ②	18 ④	19 ①	20 ①
제8회	01 ②	02 ②	03 ③	04 ①	05 ②	06 ④	07 ①	08 ③	09 ②	10 ③
	11 ②	12 ③	13 ④	14 ③	15 ②	16 ④	17 ③	18 ②	19 ④	20 ③
제9회	01 ①	02 ②	03 ④	04 ①	05 ③	06 ③	07 ④	08 ④	09 ①	10 ③
	11 ③	12 ③	13 ①	14 ③	15 ②	16 ④	17 ②	18 ③	19 ②	20 ④
제10회	01 ②	02 ③	03 ①	04 ②	05 ②	06 ②	07 ③	08 ②	09 ④	10 ①
	11 ③	12 ①	13 ④	14 ④	15 ④	16 ③	17 ④	18 ③	19 ①	20 ①
제11회	01 ①	02 ③	03 ①	04 ②	05 ③	06 ③	07 ②	08 ①	09 ③	10 ③
	11 ③	12 ④	13 ②	14 ①	15 ①	16 ④	17 ①	18 ③	19 ②	20 ①
제12회	01 ②	02 ④	03 ③	04 ③	05 ③	06 ④	07 ②	08 ②	09 ③	10 ④
	11 ④	12 ④	13 ②	14 ③	15 ③	16 ③	17 ②	18 ①	19 ④	20 ③

수고하셨습니다.

당신의 합격을 응원합니다.

합격까지 박문각

2026 국가직·지방직 공무원 시험 대비

실전동형 봉투모의고사

Vol. 1

한국사

▎기출문제▎

정답 및 해설

박문각

2025. 4. 5. 국가직 9급 기출문제
한국사 정답 및 해설

국가직 문항분석표

구분	정치	경제	사회	문화
선사	1			
고대	3, 10, 11			15
중세	5, 8			17
근세	13	4		
근대 태동기	2			9
근대 개항기	7, 12, 14, 18			
일제 강점기	16, 19			
현대	20			
통합형	6			

국가직 9급 기출문제 정답

01 ④	02 ①	03 ④	04 ③	05 ②
06 ②	07 ④	08 ①	09 ②	10 ①
11 ②	12 ③	13 ④	14 ③	15 ②
16 ③	17 ④	18 ②	19 ③	20 ③

01 [울주 반구대 바위 그림] ▶ ④

④ 울주 대곡리 반구대 암각화(바위 그림)는 현존하는 청동기 암각화 중 세계에서 가장 오래된 것으로 추정되고 있으며, 고래잡이 모습, 그물로 사냥하는 모습 등 청동기 시대의 생활 모습을 잘 묘사하고 있다.

오답해설 ① 고령 장기리 암각화(바위 그림)에는 동심원(태양 상징), 십자형, 삼각형, 사각형, 방패 모양 등의 기하학 무늬가 새겨져 있다. ② 황해 안악 3호분 행렬도는 고구려 시대의 모습을 보여주는 벽화이다. ③ 경주 천마총 장니 천마도는 말의 배 가리개에 그린 그림으로, 신라의 힘찬 화풍을 잘 보여주고 있다.

02 [비변사] ▶ ①

① 제시된 자료는 비변사의 설치와 기능 확대 등에 대해 서술한 내용이다. 비변사는 16세기 중종 초에 삼포왜란을 계기로 여진족과 왜구의 침략에 대비하기 위해 임시 회의 기구로 설치되었다. 선조 때 임진왜란을 거치면서 외교·재정·사회·인사 문제 등 거의 모든 행정을 총괄하는 최고 기구가 되었으며, 전·현직 정승을 비롯한 문무 고위 관리들이 참여하였다.

03 [발해] ▶ ④

제시된 자료의 밑줄 친 '이 나라'는 발해를 일컫는다. ④ 발해는 지방 행정 구역을 5경 15부 62주로 정비하였다.

오답해설 ① 골품제는 신라의 신분 제도이다. ② 통일 신라의 군사 조직에 대한 설명이다. ③ 고구려 광개토 대왕 때의 일이다.

04 [조선 전기의 경제·사회] ▶ ③

제시된 자료는 조선 전기 세종의 업적에 대해 서술한 내용이다. ③ 조선 전기 세종 때 조정 신하와 지방의 촌민에 이르기까지 18만 명의 찬반을 묻고 10년간 시범 기간을 거친 뒤에 공법(전분 6등법과 연분 9등법)을 시행하였다.

오답해설 ① 송파장에서 담배 등과 같은 상품 작물을 판매한 것은 조선 후기의 일이다. ② 조선 후기인 정조 때 통공 정책을 실시하여 육의전을 제외한 시전 상인들의 금난전권을 폐지하였다. ④ 조선 후기의 사회 모습에 대한 설명이다. 천주교는 17세기 중국 베이징을 방문한 사신들에 의해 조선에 소개되었다.

05 [공민왕] ▶ ②

제시된 자료는 공민왕의 개혁 정책에 대한 내용으로, 공민왕은 신돈을 중용하여 권문세족들이 부당하게 빼앗은 토지와 노비를 본래의 소유주에게 돌려주거나 양민으로 해방시켰다. ② 공민왕은 고려의 내정을 간섭하던 정동행성 이문소를 폐지하였다.

오답해설 ① 고려 태조는 사심관 제도를 실시하여 지방 세력을 견제하고자 하였다. ③ 고려 광종의 업적이다. ④ 고려 성종에 대한 설명이다.

06 [지역사(강화도)] ▶ ②

제시된 자료의 밑줄 친 '이곳'은 강화도를 일컫는다. ② 정묘호란이 발발하자, 인조를 비롯한 조선 조정은 강화도로 피난하였다.

오답해설 ① 신라 하대인 흥덕왕 때 장보고는 완도에 청해진을 설치하였다. ③ 고려 시대에 삼별초의 항쟁을 진압한 원나라는 제주도에 탐라총관부를 설치하고 목마장을 경영하였다. ④ 1885년부터 1887년까지 영국은 러시아를 견제하기 위해 거문도를 점령하였다.

07 [통리기무아문] ▶ ④

제시된 자료는 1880년대 초반에 설치된 통리기무아문에 대해 설명한 내용이다. ④ 정부는 1880년 통리기무아문이라는 근대적 행정 기구를 두고, 그 아래에 실무를 담당하는 12사를 설치하여 외교, 군사, 산업 등의 정책을 추진하였다.

오답해설 ① 1894년 6월 11일 정부는 교정청을 세워 개혁에 착수하였다. ② 삼정이정청은 조선 철종 때 삼정의 문란을 개혁하기 위해 설치된 기구이다. ③ 1894년 6월 25일에 설치된 군국기무처는 초정부적 회의 기구로서, 1차 갑오개혁의 각종 정책을 추진하였다.

08 [고려 무신 정권(만적의 난)] ▶ ①

제시된 자료는 최충헌 집권 시기인 1198년 최충헌의 사노비인 만적이 일으킨 반란과 관련된 내용이다. ① 정방은 최우가 자기 집에 설치한 기구로, 모든 관직에 대한 인사권을 행사하였다.

오답해설 ② 고려 예종 때 윤관이 별무반을 이끌고 여진 정벌을 단행하여 동북 지방 일대에 9성을 쌓았다. ③ 고려 광종 때 노비안검법을 실시하였다. ④ 상수리 제도가 실시된 것은 통일 신라 때의 일이다.

09 [박지원] ▶ ②

제시된 자료는 조선 후기 실학자인 박지원에 대해 서술한 내용이다. ② 정조 때 농서를 구하는 교지에 응한 박지원은 『과농소초』를 지어 올렸다. 박지원은 『과농소초』에서 영농 방법의 혁신, 상업적 농업의 장려 등을 주장하였고, 같이 첨부한 『한민명전의』에서는 토지 소유를 제한하는 한전론을 제안하였다.

오답해설 ① 송시열, 이완 등은 효종의 북벌 운동을 지지하여 청에게 당한 수모를 설욕하고자 하였다. ③ 정약용에 대한 설명이다. ④ 안정복에 대한 설명이다.

10 [신문왕] ▶ ①

제시된 자료는 신문왕 때의 김흠돌의 난 진압과 녹읍 폐지에 대한 내용이다. ① 신문왕은 국학을 설치하여 유학을 교육하였다.

오답해설 ② 불교를 공인한 왕으로는 고구려 소수림왕, 백제 침류왕, 신라 법흥왕 등이 있다. ③ 신라 하대 원성왕 때의 일이다. ④ 신라 지증왕 때 이사부가 우산국을 정복하였다.

11 [삼국의 발전] ▶ ②

(가)는 400년 광개토 대왕 때 5만 명의 군대를 보내 신라에 침입한 왜군을 격퇴한 내용이고, (나)는 554년 관산성 전투에서 백제 성왕이 전사한 내용이다. ② 신라 법흥왕 때인 532년 금관가야를 정복하였다.

오답해설 ① 4세기 고구려 미천왕 때인 313년 낙랑군을 축출하였다. ③ 고구려 보장왕 때인 645년 안시성 전투에 대한 설명이다. ④ 371년 백제 근초고왕의 공격으로 고구려 고국원왕이 평양성에서 전사하였다.

12 [신민회] ▶ ③

제시된 자료는 신민회와 관련된 내용이다. 1911년 105인 사건을 통해 신민회 회원들 중 다수가 검거·투옥되었으며, 이로인해 신민회의 국내 조직은 거의 해체되었다. ③ 1907년 안창호, 양기탁, 이동녕, 이승훈 등의 서북 지방 인물을 중심으로 사회 각층의 인사들을 망라해 비밀 결사 단체인 신민회를 조직하였다.

오답해설 ① 독립 협회에 대한 설명이다. ② 1920년대 서울에서 조선 민립 대학 기성회가 결성되어 민립 대학 설립 운동을 주도하였다. ④ 신간회에 대한 설명이다.

13 [광해군] ▶ ④

제시된 자료는 광해군 때 대동법 실시와 관련된 내용이다. ④ 광해군 때 일본과 기유약조를 맺어 제한된 범위 내에서 교섭을 허용하였다(세사미두 100석, 세견선 20척).

오답해설 ① 훈련도감은 선조 때 설치된 군사 기구이다. ② 중종 때의 인재 등용 정책에 대한 설명이다. ③ 정조 때 37세 이하의 당하관 관리 중에서 유능한 인사를 선발하여 일정 기간 규장각에서 재교육하는 초계문신 제도를 실시하였다.

14 [2차 갑오개혁] ▶ ③

밑줄 친 '이 개혁'은 2차 갑오개혁을 일컫는다. ③ 2차 갑오개혁 시기인 1895년 교육 입국 조서가 반포되었고, 이에 따라 교원 양성을 위해 한성 사범 학교 관제를 발표하였다.

오답해설 ① 동문학은 2차 갑오개혁 이전인 1883년에 설립된 교육 기관이다. ② 육영 공원은 2차 갑오개혁 이전인 1886년에 설립되었다. ④ 1897년에 성립된 대한제국은 상공 학교(1899), 광무 학교(1900), 기예 학교·의학교·외국어 학교 등을 설립하였다.

15 [지역사(공주)] ▶ ②

밑줄 친 '이 지역'은 공주(웅진)를 일컫는다. 5세기 고구려 장수왕의 공격을 받아 백제는 한성을 상실하고, 공주로 도읍을 옮겼다. ② 무령왕릉은 공주 지역에 있는 송산리 고분군에 위치한 백제 무덤이다. 한편, 무령왕릉과 미륵사지 석탑은 유네스코 문화유산으로 지정된 백제 역사 유적 지구에 속하는 문화재들이다.

오답해설 ① 몽촌토성은 한성(서울)에 있다. ③ 미륵사지 석탑은 익산에 위치한 문화재이다. ④ 서산에 위치한 용현리 마애 여래 삼존상은 바위 위에 부처 셋을 나란히 조각한 것이다.

16 [연해주 지역의 독립운동] ▶ ③

밑줄 친 '이 지역'은 연해주를 일컫는다. 연해주 지역에서는 권업회를 중심으로 1914년 대한 광복군 정부가 수립되었다. ③ 19세기 말부터 많은 동포들이 이주한 연해주에는 한인 집단 거주지인 신한촌이 형성되었다.

오답해설 ① 1912년 상하이에 모인 신규식, 박은식, 조소앙 등이 동제사를 조직하였다. ② 경학사는 이회영, 이상룡 등 신민회 간부들을 중심으로 남만주에 설립한 최초의 자치 단체이다. ④ 하와이에서 박용만이 대조선 국민군단을 창설하여 군사 훈련을 실시하였다.

17 [의천] ▶ ④

밑줄 친 '그'는 고려 승려인 의천을 일컫는다. ④ 의천은 고려는 물론이고 송과 요의 대장경에 대한 주석서인 논·소·초를 모아 교장을 편찬하여 불교 사상과 교리를 정리하려 하였다. 이를 위해 목록인 『신편제종교장총록』을 편찬하였다.

오답해설 ① 혜심, ② 요세, ③ 지눌에 대한 설명이다.

18 [유길준] ▶ ②

제시된 자료는 유길준이 주장한 '중립화론'의 내용이다. ② 유길준은 보빙사의 수행원으로 미국으로 건너갔다가 최초의 미국 유학생이 되기도 하였다.

오답해설 ① 이만손 등에 대한 설명이다. ③ 김홍집에 대한 설명이다. ④ 최익현에 대한 설명이다.

19 [대한 광복회] ▶ ③

제시된 자료는 대한 광복회에서 발표한 강령의 내용이다. ③ 대한 광복회는 총사령으로 박상진을 두었으며, 공화주의를 표방하였다.

오답해설 ① 의열단에 대한 설명이다. ② 독립 의군부는 일본 정부의 총리대신과 조선 총독에게 국권 반환을 요구하는 서신(국권 반환 요구서)을 보내려고 계획하였으나 사전에 발각되어 지도부가 체포당하였다. ④ 한인 애국단 등에 대한 설명이다.

20 [제헌 헌법] ▶ ③

제시된 자료의 밑줄 친 '이 헌법'은 1948년 7월에 공포된 제헌 헌법을 일컫는다. ③ 제헌 국회는 '반민족 행위 처벌법 기초 특별 위원회'를 구성하고 특별법 제정에 착수하여 1948년 9월에 '반민족 행위 처벌법(반민법)'을 제정하였다.

오답해설 ① 1945년 9월 미군은 군정을 선포하고 미군정청을 설치하여 한반도를 직접 통치하였다. ② 1948년 5월의 일이다. ④ 카이로 회담이 개최된 것은 1943년의 일이다.

2025. 6. 21. 지방직 9급 기출문제
한국사 정답 및 해설

지방직 문항분석표

구분	정치	경제	사회	문화
선사	1, 2			
고대	3, 4, 5			
중세	6, 7			9
근세	8			11
근대 태동기	10			
근대 개항기	12, 13, 19, 20			
일제 강점기	14, 15, 17			
현대	18			
통합형				16

지방직 9급 기출문제 정답

01 ①	02 ②	03 ③	04 ④	05 ③
06 ③	07 ①	08 ②	09 ④	10 ①
11 ③	12 ①	13 ②	14 ①	15 ③
16 ④	17 ①	18 ②	19 ②	20 ④

01 [신석기 시대] ▶ ①

㉠ 신석기 시대의 사람들은 갈돌과 갈판이 곡식이나 나무 열매를 갈아서 음식을 만들어 먹었다. ㉢ 신석기 시대의 사람들은 가락바퀴나 뼈바늘을 사용해서 옷이나 그물을 만들었다.

오답해설 ㉡ 반달 돌칼은 청동기 시대의 농기구이다. ㉣ 청동기 시대부터 벼농사를 짓기 시작하였다.

02 [부여] ▶ ②

제시된 자료의 (가)는 부여이다. 부여에서는 수해나 가뭄으로 흉년이 들면 왕에게 그 책임을 묻기도 하였다. ② 부여에는 가축의 이름을 딴 마가・우가・저가・구가 등의 관리가 있었다.

오답해설 ① 옥저와 동예는 왕이 없고, 읍군・삼로・후・거수라는 군장이 각자 자신의 읍락을 다스렸다. ③ 동예는 꺼리는 것이 많아서 병을 앓거나 사람이 죽으면 옛집을 버리고 곧 다시 새 집을 지어 살았다. ④ 동예의 풍습인 책화에 대한 설명이다.

03 [발해의 정치] ▶ ③

제시된 자료는 발해 무왕이 일본에 보낸 외교 문서의 내용이다. ③ 통일 신라 시대에 들어와 집사부와 집사부 장관인 시중의 역할이 커졌다. 시중은 왕명을 받들어 행정을 총괄하고 국정을 책임지는 역할을 하였다.

오답해설 ① 발해 무왕 때 당나라 등주를 공격하였다. ② 발해의 지방 제도에 대한 설명이다. ④ 발해 무왕 때 '인안' 등의 연호를 사용했으며, 발해 문왕은 '황상'이라는 칭호를 사용하여 황제 국가의 면모를 과시하였다.

04 [법흥왕] ▶ ④

제시된 자료는 법흥왕 때의 불교 공인과 관련된 내용이다. 법흥왕 때 이차돈의 순교를 계기로 불교를 공인하였다. ④ 신라 지증왕 때 국호를 '신라'로 정하고, 이사부를 보내 우산국(울릉도)을 복속하였다.

오답해설 ① 법흥왕의 업적에 대한 설명이다. ② 법흥왕 때 병부를 설치하여 왕이 군권을 장악하고, 금관가야를 병합하였다. ③ 법흥왕 때 '건원'이라는 연호를 사용하였다.

05 [고구려의 발전 과정] ▶ ③

태학 설립은 4세기 소수림왕 때인 372년의 일이고, 평양 천도는 5세기 장수왕 때인 427년의 일이다. ③ 5세기 광개토 대왕 때 선비족이 세운 후연을 격파하여 요동을 포함한 만주 일대를 장악하였다.

오답해설 ① 1세기 후반~2세기 전반 고구려 태조왕 때 동옥저를 정복하였다. ② 4세기 고국원왕 때인 342년 전연 모용황의 공격을 받아 수도인 국내성이 함락되었다. ④ 평양 천도 이후인 475년 장수왕은 백제의 수도 한성을 함락하였다.

06 [고려 태조] ▶ ③

제시된 자료는 고려 태조가 실시한 사심관 제도와 관련된 내용이다. ③ 광종은 자신을 황제라 부르게 했으며 개경을 황도, 서경을 서도라고 하였다.

오답해설 ① 고려 태조는 기인 제도를 실시하였다. ② 태조는 926년 발해가 거란에 멸망당하자 발해 유민을 대대적으로 포용하였다. ④ 태조는 말년에 '훈요 10조'를 남겨 후대의 왕들이 지켜야 할 정책의 기본 방향을 제시하였다.

07 [고려의 대외 관계(거란)] ▶ ①

고려 건국은 918년, 귀주 대첩은 고려 현종 때인 1019년의 일이다. 무신 정변은 고려 의종 때인 1170년의 일이고, 개경 환도는 원종 때인 1270년의 일이다. 위화도 회군은 고려 우왕 때인 1388년의 일이다. ① 제시된 자료는 993년 고려 성종 때 발생한 거란의 1차 침입 당시 서희와 소손녕의 담판에 대한 내용이다. 따라서 (가) 시기에 속한다.

08 [세종] ▶ ②

제시된 자료는 세종의 훈민정음 창제와 관련된 내용이다. ② 『삼강행실도』는 세종이 설순에게 명하여 모범이 될 만한 충신, 효자, 열녀 등의 행적을 그림으로 그리고 설명을 붙인 책이다.

오답해설 ①,③ 조선 성종 때의 일이다. ④ 『동국여지승람』은 성종 때 노사신 등이 편찬하였다.

09 [지눌] ▶ ④

제시된 자료는 지눌의 행적에 대해 서술하였다. ④ 지눌은 선과 교학을 분리하지 않고 함께 수행해야 한다는 논리인 정혜쌍수를 주장하였다.

오답해설 ① 의천에 대한 설명이다. ② 공민왕 때 왕사였던 보우는 원나라에서 임제종을 도입하였다. ③ 의천의 교선 통합에 대한 설명이다. 지눌은 선종을 중심으로 교종을 포용하려 하였다.

10 [영조] ▶ ①

밑줄 친 '국왕'은 영조를 일컫는다. ① 영조는 군역 부담을 완화하기 위해 균역법을 실시하여 군포를 1년에 2필에서 1필로 줄여주었다.

오답해설 ②,③ 정조의 업적에 대한 설명이다. ④ 『대전회통』은 흥선 대원군 때 편찬된 법전이다. 영조 때는 『속대전』을 편찬하였다.

11 [이황] ▶ ③

제시된 자료는 이황이 저술한 『성학십도』의 내용이다. ③ 이황의 학문은 유성룡, 김성일, 정구, 장현광 등 영남학자들에게 계승되었다.

오답해설 ① 한전론을 주장한 학자로는 이익과 박지원 등이 있다. ② 이이에 대한 설명이다. ④ 정약용이 주장한 토지 개혁론에 대한 설명이다.

12 [국권 피탈] ▶ ①

제시된 자료는 1907년 7월에 체결된 한・일 신협약(정미 7조약)의 내용이다. ① 1907년 한・일 신협약 체결 직전에 일제는 헤이그 특사 파견을 구실로 고종 황제를 강제로 퇴위시켰다.

오답해설 ② 일제는 한・일 신협약 체결 직후, 부속 각서를 체결하여 대한 제국의 군대를 해산하였다. ③ 1909년의 일이다. ④ 1909년 일제는 호남 지역을 중심으로 남한 대토벌 작전을 추진하여 의병 부대의 근거지가 될 만한 촌락과 가옥을 초토화시키고 양민을 학살하였다.

13 [개정 조・일 통상 장정] ▶ ②

제시된 자료는 1883년에 체결된 개정 조・일 통상 장정의 내용이다. ② 개정 조・일 통상 장정은 일본에 최혜국 대우를 규정하였다.

오답해설 ① 개정 조・일 통상 장정은 갑신정변 이전인 1883년에 체결되었다. 갑신정변의 영향으로 체결된 조약으로는 한성 조약, 톈진 조약 등이 있다. ③ 1882년 임오군란 진압 이후 체결된 제물포 조약에 대한 설명이다. ④ 1876년에 체결된 강화도 조약에 대한 설명이다.

14 [김구] ▶ ①

제시된 자료는 김구가 쓴 『백범일지』 중 '나의 소원'의 내용이다. ㉠ 김구는 대한민국 임시 정부의 주석을 역임하였다. 임시 정부는 충칭에 정착하면서 1940년 제4차 개헌을 통해 주석제를 실시하여 주석인 김구가 행정·군사를 총괄하게 하였다. ㉡ 김구는 1931년 상하이에서 한인 애국단을 조직하였다.

오답해설 ㉢ 김원봉 등에 대한 설명이다. ㉣ 양세봉에 대한 설명이다.

15 [3·1 운동] ▶ ③

제시된 자료는 3·1 운동 때 발표된 3·1 독립 선언서의 내용이다. ③ 3·1 운동은 비록 일제의 무자비한 탄압으로 좌절되었지만 일제가 통치 방식을 무단 통치에서 문화 통치로 바꾸는 계기가 되었다.

오답해설 ① 3·1 운동은 1919년에 일어났고, 형평 운동은 3·1 운동 이후인 1923년에 발생하였다. ② 광주 학생 항일 운동에 대한 설명이다. ④ 6·10 만세 운동에 대한 설명이다.

16 [유네스코 세계 문화유산] ▶ ④

㉡ 유사시 임시 수도로서 기능할 수 있도록 계획적으로 축조된 산성 도시인 남한산성은 2014년에 유네스코 세계 문화유산으로 등재되었다. ㉣ 가야 고분군은 가야 문명을 대표하는 김해 대성동 고분군, 함안 말이산 고분군, 합천 옥전 고분군, 고령 지산동 고분군 등 7개의 고분군으로 2023년에 유네스코 세계 문화유산으로 등재되었다.

오답해설 ㉠,㉢ 경복궁과 석촌동 고분군은 유네스코 세계 문화유산으로 등재되지 않았다.

17 [한국 광복군] ▶ ①

제시된 자료는 1940년에 발표한 한국 광복군 선언문의 내용이다. ① 1930년대 만주에서 활동한 한국 독립군에 대한 설명이다. 한국 독립군은 중국의 호로군과 연합하여 쌍성보, 대전자령, 사도하자, 동경성 전투에서 일본군을 크게 격파하였다.

오답해설 ② 한국 광복군은 1942년 조선 의용대를 통합하여 군사력이 한층 강화되었다. ③ 1940년 충칭에서 국민당 정부의 지원을 받아 한국 광복군이 창설되었다. ④ 1943년 인도·미얀마 전선에 한국 광복군을 파견하여 영국군과 함께 대일 투쟁을 전개하였다.

18 [6·25 전쟁] ▶ ②

제시된 자료는 1953년 10월에 체결된 한·미 상호 방위 조약의 내용이다. ② 박정희 정부 시기인 1965년부터 1973년까지 베트남에 전투 부대를 파견하였다.

오답해설 ① 1953년 7월의 일이다. ③ 이승만 대통령은 휴전 반대 의사를 표현하기 위해 외교적인 관례를 무시하고 1953년 6월 반공 성향의 인민군 포로를 전격적으로 석방하였다. ④ 1950년 9월 15일의 일이다.

19 [대한 제국] ▶ ②

제시된 자료는 대한 제국의 양전 지계 사업과 관련된 내용으로, 대한 제국은 1897년부터 1910년까지 유지되었다. ② 대한 제국은 1897년에 성립되었고, 교육 입국 조서는 2차 갑오개혁 시기인 1895년에 반포되었다.

오답해설 ① 1897년 고종은 연호를 광무로 고치고, 국호를 대한 제국으로 선포하였다. ③ 대한 제국은 구본신참을 개혁의 방향으로 삼았다. ④ 대한 제국 시기인 1899년 서대문과 청량리 사이를 운행하는 전차가 처음 운행되었다.

20 [흥선 대원군의 통상 수교 거부 정책] ▶ ④

(라) 1866년 7월 미국 상선 제너럴셔먼호가 대동강을 거슬러 올라와 통상을 요구하였다. (나) 1866년 9월 병인양요 때 양헌수 부대가 정족산성에서 프랑스군에게 큰 타격을 주었다. (다) 1868년 오페르트 도굴 사건에 대한 설명이다. (가) 1871년 신미양요 때의 일이다.

2025. 6. 21. 법원직 9급 기출문제
한국사 정답 및 해설

법원직 문항분석표

구분	정치	경제	사회	문화
선사	11			
고대	9, 22			2
중세	6, 17, 19, 23		4	
근세	14, 18, 25			
근대 태동기	10	15		
근대 개항기	3, 12, 16			
일제 강점기	5, 21			
현대	1, 7, 8, 13, 20, 24			

법원직 9급 기출문제 정답

01 ②	02 ③	03 ①	04 ②	05 ④
06 ①	07 ④	08 ③	09 ②	10 ③
11 ④	12 ①	13 ③	14 ①	15 ③
16 ④	17 ④	18 ③	19 ②	20 ②
21 ①	22 ④	23 ②	24 ③	25 ①

01 [5·10 총선거] ▶②
제시된 자료는 1948년 5·10 총선거에 대해 설명하고 있다. ② 김구·김규식·조소앙 등이 이끄는 남북 협상파 세력은 5·10 총선거에 불참하였다.

오답해설 ① 5·10 총선거에서는 임기 2년의 국회 의원을 선출하였다. ③ 5·10 총선거를 통해 제헌 국회가 구성되었다. 제헌 국회에서 이승만을 대통령에 선출했기 때문에 해당 선지는 5·10 총선거에 대한 설명으로 적절치 못하다. ④ 5·10 총선거 당시 21세 이상 모든 국민에게 투표권이 부여되었다.

02 [대가야의 문화유산] ▶③
제시된 자료의 (가)는 대가야를 일컫는다. ③ 고령 지산동 고분군은 대표적인 대가야의 유적지로, 금동관 등 많은 유물이 출토되었다.

오답해설 ① 산수문전은 바위가 솟고, 대소의 산봉우리에 나무가 무성하게 그려진 백제의 벽돌이다. ② 임신서기석은 신라의 문화유산으로, 신라의 두 청년이 유교 경전을 공부했다는 사실이 기록되어 있다. ④ 금동 연가 7년명 여래 입상은 고구려의 불상이다.

03 [을미의병] ▶①
제시된 자료는 『고종실록』에 기록된 내용으로, 을미의병 해산과 관련된 내용이다. ① 을미의병은 유인석과 이소응, 민용호 등 양반 유생들이 주도하였다.

오답해설 ② 초대 통감인 이토 히로부미를 사살한 것은 1909년 안중근 의거 때의 일이다. ③ 정미의병 시기인 1908년 서울 진공 작전을 전개하였다. ④ 외교권 박탈에 항의하여 일어난 것은 1905년 을사의병이다.

04 [향·소·부곡] ▶②
제시된 자료의 (가)는 명학소를, (나)는 다인철소를 일컫는다. 둘 다 고려의 특수 행정 구역인 향·소·부곡에 속한다. ② 향·소·부곡의 거주민들은 양민임에도 불구하고 일반 군현민보다 더 많은 세금 부담을 지고 있었다.

오답해설 ① 고려의 양계 등에 대한 설명이다. ③ 통일 신라는 군사·행정상의 요지인 북원경(원주), 서원경(청주), 중원경(충주), 남원경(남원), 금관경(김해)에 5소경을 설치하였다. ④ 고려의 일반 행정 구역인 5도에는 지역 순찰을 위해 안찰사가 파견되었다.

05 [3·1 운동] ▶④
밑줄 친 '사건'은 1919년에 일어난 3·1 운동을 일컫는다. ④ 3·1 운동을 계기로 독립운동을 이끌어 갈 통일된 지도부에 대한 필요성이 대두되어 대한민국 임시 정부가 수립되었다.

오답해설 ① 광주 학생 항일 운동 당시 신간회는 현지에 진상 조사단을 파견하고 진상 보고를 위한 민중 대회를 개최하려고 하였다. ② 광주 학생 항일 운동에 대한 설명이다. ③ 6·10 만세 운동에 대한 설명이다.

06 [최우] ▶①
제시된 자료는 몽골의 2차 침입 때 김윤후가 활약한 처인성 전투와 관련된 내용이다. 이 시기의 무신 집권자는 최우였다. ① 최충헌은 신변 보호를 위해 사병 기관인 도방을 부활시켜, 그 규모를 확대하였다.

오답해설 ②,③,④ 최우에 대한 설명이다.

07 [전두환 정부] ▶④
제시된 자료는 8차 개헌의 내용이다. 8차 개헌은 1980년 10월부터 1987년까지 적용되었고, 전두환 정부(1981~1987) 시기와 겹친다. ④ 1980년 12월 정부는 보도 지침을 하달하여 기사 내용을 통제하였다.

오답해설 ① 박정희 정부 때인 1972년의 일이다. ② 박정희 정부 때인 1965년부터 1973년까지의 일이다. ③ 김영삼 정부 때인 1995년의 일이다.

08 [민주화 운동] ▶③
제시된 자료의 첫 번째 민주화 운동은 1960년 4·19 혁명이고, 두 번째 민주화 운동은 1987년 6월 민주 항쟁이다. ③ 4·19 혁명의 결과 3차 개헌이 이루어졌고, 6월 민주 항쟁의 결과 9차 개헌(현행 헌법)이 이루어졌다.

오답해설 ① 6월 민주 항쟁 때는 비상계엄이 선포되지 않았다. ② 4·19 혁명은 유신 체제 선포 이전에 일어난 민주화 운동이고, 6월 민주 항쟁은 유신 체제 붕괴 이후에 전개되었다. ④ 4·19 혁명의 결과에 대한 설명이다.

09 [신문왕] ▶②
제시된 자료는 신문왕 때의 관료전 지급과 녹읍 폐지에 대한 내용이다. ② 신문왕은 장인이 일으킨 김흠돌의 난을 진압하고 이 사건과 관련 있는 진골 귀족들도 처단하였다.

오답해설 ① 문무왕 때의 일이다. ③ 진흥왕 때의 일이다. ④ 법흥왕의 업적이다.

10 [비변사] ▶③
밑줄 친 '이 기구'는 비변사를 일컫는다. ③ 비변사는 16세기 중종 초에 일어난 3포 왜란을 계기로 여진족과 왜구의 침략에 대비하기 위해 임시 회의 기구로 설치되었다.

오답해설 ① 이조전랑은 3사 관리의 추천권을 가지고 있었다. ② 사간원은 사헌부, 홍문관과 함께 3사로 불렸다. ④ 정조 때의 규장각에 대한 설명이다.

11 [고조선] ▶④
제시된 자료는 고조선의 8조법과 관련된 내용이다. ④ 고조선은 한반도 남부의 진과 중국의 한나라 사이에서 중계 무역으로 경제적 이익을 얻었다.

오답해설 ① 부여와 고구려는 제가 회의에서 국가의 중대사를 논의하였다. ② 부여는 마가, 저가, 우가 등 가축 이름을 딴 제가가 사출도를 다스렸다. ③ 동예의 풍습인 책화에 대한 설명이다.

12 [독립 협회] ▶①
제시된 자료는 관민 공동회 때 백정 박성춘의 연설 내용으로, 밑줄 친 '단체'는 독립 협회를 일컫는다. ① 독립 협회는 이권 수호 운동을 전개하여 러시아의 절영도 조차 요구를 철회하게 하였다.

오답해설 ② 보안회에 대한 설명이다. ③ 나철(나인영), 오기호 등이 조직한 자신회(오적 암살단) 등에 대한 설명이다. ④ 대한 자강회 등에 대한 설명이다.

13 [김대중 정부] ▶③
제시된 자료는 1998년 2월 25일 김대중 대통령이 발표한 대통령 취임사의 내용이다. ③ 2000년 평양을 방문한 김대중 대통령은 김정일 국방 위원장과 최초로 남북 정상 회담을 개최하였고, 6·15 남북 공동 선언을 채택하였다.

오답해설 ① 개성 공업 지구는 노무현 정부 때인 2003년에 착공하여 2004년에 완공되었다. ② 박정희 정부 때의 일이다. ④ 노태우 정부 때의 일이다.

14 [4부 학당과 향교] ▶ ①

(가)는 조선의 4부 학당이고, (나)는 조선의 향교이다. 둘 다 조선의 중등 교육 기관이다. ① 4부 학당은 한성에 설치된 중학・동학・남학・서학으로, 소학과 사서 등 유학 경전을 공부하였다.

오답해설 ②,③ 서원에 대한 설명이다. ④ 성균관에 대한 설명이다. 향교는 원칙적으로 모든 양인 남자에게 입학이 허용되었다.

15 [균역법] ▶ ③

제시된 자료는 영조 때의 균역법 실시와 관련된 내용이다. ㉡ 균역법 실시에 따른 재정 부족을 보완하기 위해 부유한 양민에게 선무군관이라는 칭호를 주고 1년에 군포 1필(선무군관포)을 납부하게 하였다. ㉣ 왕실에서 거두던 어・염・선세를 균역청에서 거두어 균역법 실시에 따른 재정 부족을 보충하게 하였다.

오답해설 ㉠ 원납전은 흥선 대원군 때 경복궁 중건 비용을 마련하기 위해 거둔 기부금이다. ㉢ 삼정이정청은 철종 때 삼정의 문란을 시정하기 위해 설치된 기구이다.

16 [미국] ▶ ④

제시된 자료에서 밑줄 친 '이 나라'는 미국이다. 황쭌셴의 『조선책략』에 따라 연미론(미국과 통교)이 확산되자 전국의 유생들은 이에 반대하는 상소를 올렸다. ④ 1905년 포츠머스 조약은 러・일 전쟁이 일본의 승리로 끝난 후 미국의 중재로 러시아와 일본 간에 체결된 조약이다.

오답해설 ① 일본에 대한 설명이다. ② 청・일 전쟁에서 승리한 일본이 청으로부터 요동반도를 획득하자, 러시아는 프랑스・독일을 끌어들여 요동반도를 청에 돌려줄 것을 일본에 요구하였다(삼국 간섭). ③ 병인양요 때 프랑스는 철수하면서 강화도의 외규장각에 보관했던 의궤, 도서, 문화재 등을 약탈하였다.

17 [최우] ▶ ④

제시된 자료의 (가) 인물은 최우를 일컫는다. 최우는 1219년부터 1249년까지 집권하였다. ④ 최우 집권 시기인 1237년 이연년 형제가 전라도 담양에서 백제 부흥 운동을 일으켰다.

오답해설 ① 1170년 이의방・이고・정중부 등 무신들은 무신 정변을 일으킨 직후, 의종을 거제도에 유폐하고 의종의 동생(명종)을 왕으로 세웠다. ② 교정도감이 처음으로 설치된 것은 최충헌 집권기 때의 일이다. ③ 도방이 처음으로 조직된 것은 경대승 집권기 때의 일이다.

18 [17세기 조선의 정치 상황] ▶ ③

㉡ 17세기 광해군 때의 외교 상황에 대한 설명이다. ㉢ 1623년 서인 세력의 주도로 인조반정을 일으켜 광해군이 쫓겨나고, 인조를 왕으로 세웠다. ㉣ 명나라 모문룡의 부대가 평안도 가도에 주둔하여 후금과의 긴장 관계를 조성했으나, 인조 때인 1629년 명나라에서 파견된 원숭환이 모문룡을 체포・제거하였다. ㉠ 1636년 병자호란의 결과, 조선과 청은 군신 관계를 맺었다. 따라서 첫 번째와 세 번째로 일어난 사건은 ㉡과 ㉣이다.

19 [고려 시대의 국왕] ▶ ②

(가)는 고려 태조, (나)는 고려 경종, (다)는 고려 목종, (라)는 고려 문종을 일컫는다. ② 광종은 지배층의 위계 질서를 확립하기 위하여 자・단・비・녹의 4색 공복 제도를 만들었다.

오답해설 ① 고려 태조에 대한 설명이다. ③ 목종은 강조의 정변으로 폐위되었다. ④ 고려 문종은 경원 이씨(고려의 대표적인 문벌 귀족) 가문인 이자연의 딸을 왕비로 맞았다.

20 [1950년대 정치 상황] ▶ ②

(가)는 이승만 정부 때인 1954년 통과된 사사오입 개헌의 내용이고, (나)는 1961년 박정희를 비롯한 5・16 군사 정변 세력이 발표한 혁명 공약의 내용이다. ② 박정희 정부는 1968년 국민 교육 헌장을 발표했는데, (나) 이후의 일이다.

오답해설 ① 이승만 정부 때인 1958년의 일이다. ③ 1960년 4・19 혁명의 결과 다시 실시된 총선에 따라 새로 구성된 국회는 윤보선을 대통령으로, 장면을 국무총리로 선출하였다(1960. 8.). ④ 1960년 3차 개헌에 대한 설명이다.

21 [한국 독립군] ▶ ①

제시된 자료의 (가) 부대는 1930년대 만주에서 활동한 한국 독립군을 일컫는다. ① 한국 독립군은 한국 독립당의 산하 부대로, 지청천이 이끌었다.

오답해설 ② 양세봉이 지휘한 조선 혁명군에 대한 설명이다. ③ 동북 항일 연군 내의 한인들은 1936년 조국 광복회를 조직하여 활동하였다. ④ 조선 의용대 화북 지대는 1942년 조선 의용군으로 개편되었다.

22 [신라 하대의 정치 상황] ▶ ④

(다) 780년 혜공왕 때 진골 귀족인 김지정이 반란을 일으켰다. 김지정의 난을 진압하는 과정에서 혜공왕이 살해되었고 상대등 김양상이 선덕왕으로 즉위하였다. (나) 헌덕왕 때인 822년 웅천주 도독 김헌창은 아버지인 김주원이 왕위 다툼에서 패한 것에 불만을 품고 반란을 일으켰다(김헌창의 난). (가) 진성 여왕 때인 889년 사벌주에서 원종과 애노가 난을 일으켰다.

23 [고려 중기의 정치 상황] ▶ ②

(가)는 고려 성종 때 최승로가 올린 시무 28조의 내용이고, (나)는 고려 인종 때 묘청이 서경 천도를 주장한 내용이다. ② 고려 현종 때인 거란의 3차 침입 당시에 일어난 귀주 대첩에 대한 설명이다.

오답해설 ① (나) 이후인 최충헌 집권기 때 만적의 난이 일어났다. ③ (가) 이전인 광종의 업적이다. ④ (나) 이후인 고려 후기 충렬왕 때의 일이다.

24 [김영삼 정부] ▶ ③

제시된 자료는 김영삼 정부 때인 1997년 11월 IMF 지원 요청 발표문의 내용이다. ③ 김영삼 정부는 1996년 경제 협력 개발 기구(OECD)에 가입하였다.

오답해설 ① 박정희 정부 때인 1970년의 일이다. ② 다문화 가족 지원법은 이명박 정부 때인 2008년에 제정되었다. ④ 김대중 정부 때 국민 기초 생활 보장법을 제정하는 등 사회 복지 제도를 확충하였다.

25 [임진왜란] ▶ ①

(가) 1592년 4월 왜군이 침략하자, 정부는 도순변사 신립을 파견했지만 4월 말에 신립이 지휘하는 군대는 충주 탄금대에서 패배하였다. (나) 1592년 7월 한산도 대첩에 대한 내용이다. (다) 1593년 2월 행주 대첩에 대한 내용이다. (라) 1593년 10월에는 의주로 피난했던 국왕 일행이 한성으로 돌아왔다.

기출문제

한국사 빠른 정답 찾기

기출-국가직									
01 ④	02 ①	03 ④	04 ③	05 ②	06 ②	07 ④	08 ①	09 ②	10 ①
11 ②	12 ③	13 ④	14 ③	15 ②	16 ③	17 ④	18 ②	19 ③	20 ③

기출-지방직									
01 ①	02 ②	03 ③	04 ④	05 ③	06 ③	07 ①	08 ②	09 ④	10 ①
11 ③	12 ①	13 ②	14 ①	15 ③	16 ④	17 ①	18 ②	19 ②	20 ④

기출-법원직									
01 ②	02 ③	03 ①	04 ②	05 ④	06 ①	07 ④	08 ③	09 ②	10 ③
11 ④	12 ①	13 ③	14 ①	15 ③	16 ④	17 ④	18 ③	19 ②	20 ②
21 ①	22 ④	23 ②	24 ③	25 ①					

수고하셨습니다.
당신의 합격을 응원합니다.